N⁰ 11359

Edmonton '78

The Official Pictorial Record
of the XI Commonwealth Games

Le Record Officiel Illustré des
XIe jeux du Commonwealth

Publishing and Distribution
Executive Sport Publications Ltd.
Design Consultants
Frasier Design Associates Ltd.
Printing
Bulletin Commercial Printers Ltd.
Color Separations
Robarts Graphics
©Executive Sport Publications Ltd. 1978
All Rights Reserved
I.S.B.N. # (0-920564-02-X)
An Executive Sport Publication
6519 - 104 Street, Edmonton, Alberta
Canada T6H 2L3 (403) 437-1240

Publication et distribution
Executive Sport Publications Ltd.
Agence de consultation pour création
Frasier Design Associates Ltd.
Imprimeur
Bulletin Commercial Printers Ltd.
Séparation de couleurs
Robarts Graphics
©Executive Sport Publications Ltd. 1978
Tout droits réservés
I.S.B.N. # (0-920564-02-X)
Une publication Executive Sport.
6519 rue 104, Edmonton, Alberta
Canada T6H 2L3 (403) 437-1240

Contents

Table des matières

Acknowledgements

Executive Sport Publications Ltd. would like to thank the three levels of Government, Loto Canada and the many Canadian corporations who generously supported The XI Commonwealth Games. Without this financial aid from Canadian government and business Edmonton's "Friendly Games" could never have been the great success they were.

We would also like to acknowledge the efforts of the following individuals for their valued help in the publishing of "The Official Pictorial Record of the XI Commonwealth Games".

William F. Dowbiggin
Murray Tildesley

Dr. Maury Van Vliet
President, Commonwealth Games Foundation

Ray Ludford
Marketing Manager, Commonwealth Games Foundation

Les Olson
Designer

Gus Henne
Printing Consultant

Will Lammers
Color Consultant

Dave Reidie
Peter Robertson
Editors

Dennis Brodeur **Franz Maier**
Bob Davies **Dave Patterson**
Mike Evans **Walter Petrigo**
Tony Feder **Paul Taillefur**
Barry Gray **Bob Warren**
Bob Gray **Brian Willer**
Photographic Pool

Dr. Gerald Redmond
Editor

Doug Gilbert
Hal Pawson
Writers

Remerciments

L'Agence Executive Sport Publications Ltée. voudrait remercier les trois niveaux Gouvernementaux, Loto Canada et les nombreuses corporations canadiennes qui ont appuyé généreusement les XIe Jeux du Commonwealth. Sans cette aide financière, les "Jeux de l'Amitié d'Edmonton n'auraient pu obtenir les résultats que nous connaissons.

Nous amerions aussi remercier les efforts de personnes qui ont aidé dans la publication du "Record officiel illustré des XIrv4e Jeux du Commonwealth.

William F. Dowbiggin
Murray Tildesley

Dr. Maury Van Vliet
Président de la Fondation des Jeux du Commonwealth

Ray Ludford
Directeur du marketing, Fondation des Jeux du Commonwealth

Les Olson
Conception

Gus Henne
Assistant d'imprimerie

Will Lammers
Assistant à la couleur

Dave Reidie
Peter Robertson
Editeurs de la photographie

Dennis Brodeur **Franz Maier**
Bob Davies **Dave Patterson**
Mike Evans **Walter Petrigo**
Tony Feder **Paul Taillefur**
Barry Gray **Bob Warren**
Bob Gray **Brian Willer**
Equipe de photographie

Dr. Gerald Redmond
Réadacteur

Doug Gilbert
Hal Pawson
Ecrivains

Bernard St. Pierre
Traduction

Festival'78

4

5

Alberta
L'Alberta

Edmonton '78

9

Edmonton: Host City

Getting the XI Commonwealth Games for Edmonton was a rewarding, but extremely humbling, experience for me. I think it was, too, for the other 27 enthusiastic Edmontonians directly involved in that exhilarating exercise at the 1972 Olympic Games.

Backed by the dollar-donations of many, and the skeptical good wishes of most Edmontonians, armed with the blessing of City Council, the two senior goverments and the Commonwealth Games Association of Canada, we had cockily set forth to the beautiful Bavarian centre to "put Edmonton on the map", as we smugly put it, not really believing in our hearts that was necessary.

After all, hadn't Edmonton been on the map a goodly number of years, at the very least since 1947 and the discovery of oil 18 miles southwest of the Alberta capital, near Leduc? (I now suspect our real reason was to prove to the rest of Canada — and at least that large part of the world known as the Commonwealth — that if Edmonton put its mind to it, this community of "doers" could handle just about anything, including a project as large as the Commonwealth Games.)

Led by former Mayor Ivor Dent, Dr. Maury Van Vliet, (President of the XI Commonwealth Games Foundation or Organizing Committee since 1975), and the Hon. Horst Schmid, Alberta Minister of Government Services and an Edmonton Games "booster" since Day One, we even elected to do it the hard way in Munich.

As a part of this story, there is one "secret" that can now be told. When Dr. Dent left for Munich a day ahead of the main Edmonton party, he and the contingent weren't "legal". He had arrived in Munich when Col. Jack Davies, Canada's "Mr. Commonwealth Games" mentioned to me casually in a long distance call from Montreal that if Edmonton was successful at Munich it would have to produce a certificate of legal registration of the Foundation as a charitable, non-profit society or corporation. This hadn't been done, because no one had known it was necessary. With a speed that demolished any myths about bureaucratic red tape, it was achieved in less than a day. Four of us at City Hall — Tony Konye, Ken Kuchinski, Ian Archibald and I — signed as the required four officers of the Organizing Committee just one hour before our plane left. Although we kept it secret from the

rest — but carefully keeping official minutes on it, just in case — we four "were the Foundation" for two months, until a proper President and directorate could be named.

Doing things the hard way in Munich was the result of a determination by the Games Committee that no Edmonton tax money would be spent on bidding for the 1978 Commonwealth Games. City Council had put up $30,000 seed money, for the feasibility study, the Canadian bid in Montreal and the two "Books of Invitation" which had to be prepared and printed in four colours.

In the spring of 1972 the Games Committee — particularly Al Neils, Ken Kuchinski, Ald. Dave Ward and Tony Thibaudeau — went out and raised $30,000 from 5,000 individual citizens. Contributions average $6 as a cross section of Edmonton residents gave $1s, $2s, $5s, $10s and $20s. Major contributions were made by the Edmonton Eskimos Football Club, the Exhibition Association and the Alberta Government, to bring the subscription fund total up to $60,000.

The City was paid back before the delegation left for Munich, but there was little money left to fritter away on the luxury of extra time in Munich. The job had to be done, if it could be done, in the three days prior to the night of August 24, when 44 nations would sit in the Commonwealth Games Federation Assembly and award the 1978 Games, after hearing half-hour presentations from Edmonton and Leeds, England.

The three-day task before the 28 Edmonton delegates: identify, locate and personally intercede with 276 Commonwealth sports and government officials, everyone who had a vote or could influence a vote, scattered throughout wonderful old-world, but Olympic-crazed and overcrowded, Munich.

The budget was so tight the group billeted in a private hospital clinic on the outskirts and worked out of a tiny office in a downtown hotel. Teams were the answer, and the party was split into six four-person teams, pledged to interviewing 46 subjects each, or three each hour of the three 15-hour days I scheduled out for them as delegation coordinator. Each night ended with a de-briefing, so Edmonton could gauge at all times how it "stood" in the voting.

You know what? The system worked so well, the final Edmonton forecast was

out by only one vote — and that on the conservative side, which probably figured, coming from Alberta.

The de-briefings were shattering for boom-town Edmonton egos.

If Edmonton was on the map, it must have been on one drawn in Alberta. It certainly wasn't on the world map, or even on a Commonwealth map. The 28 community boosters who had thought their hometown had the world by the tail could scarcely find a fellow member of the Commonwealth family who even knew Edmonton was in Canada.

The most-asked question of our delegates was: "Where is Edmonton?" "What is Edmonton?"

Even the few who knew we were Canadian thought, for the most part, that Edmonton was beyond the Last Frontier, in the wilderness on or above the Arctic Circle. Others thought it was a suburb of Montreal or Toronto. Several actually asked if Edmonton had running water and indoor plumbing for the athletes, while one actually insisted Edmonton "couldn't handle it", because it would have to fly the food in daily for 3,000 athletes and officials. Another insisted it snowed all August in Edmonton, and he wasn't tongue-in-cheeking it.

The answers about snow, modern conveniences and food must have been satisfactory, and the boundless energy of the delegation respected, for the Assembly voted "Edmonton, '78," by a count of 34-10.

So, "Where and what is Edmonton?"

The capital city and largest metropolitan centre in Alberta, Edmonton is located at 53° 35" West Latitude, 113° 30" North Longtitude, practically in the physical centre of Canada's fourth largest and richest province.

Its setting is one of parkland beauty, astride the steep-banked, mountain-fed North Saskatchewan River. Its 600,000 energetic, friendly metro residents jealously guard the city's 11,000 acres of parks and green space, twice the per capita acreage of any other city in Canada. Around it, the soil is deep and fertile, and seemingly endless as the great Canadian prairies sweep east, south and even north.

Its strategic location explains why the young city's embryo was planted at a fur trading post, Fort Edmonton, in 1795 by William Tominson, an employee of the Company of Gentlemen Adventurers

City of Edmonton 1908

Trading out of Hudson's Bay. He named it for a superior's borough in London.

The fort was to dominate the north-western fur trade for 80 years, because it led to the passes west through the magnificent but foreboding Canadian Rockies, led east back along the rivers to Hudson's Bay and Montreal, via the Great Lakes, and was the logical overland starting point for the arduous overland pack trip to Athabasca Landing and the great northern Rivers, Athabasca, Peace and Mackenzie, leading to the Arctic coast.

David Thompson's pioneering route to Fort Vancouver passed nearby. Sir Alexander Mackenzie, the first white man to cross North America by land, came by enroute through the Yellowhead Pass. Fort Edmonton even dominated the rich trade as far south as Oregon until some years after the Lewis and Clark expedition.

Vagarious shifting of the prime crop, beaver, flooding and fear of Indians kept the Fort "mobile" for 30 years, as it appeared and re-appeared in at least eight different locations along a 100-mile stretch of the river.

In fact, the "first" Fort Edmonton was 25 miles downstream from today's city,

near Fort Saskatchewan. Two of the major forts were on the Rossdale Flats and the last and most-lasting Fort Edmonton was erected about 1827 by Factor John Rowan high up the bank where the present Alberta Legislative Buildings stand. This is the fort which has been so carefully recreated at Fort Edmonton Park, 30 years after a patriotic civil servant sawed up the dismantled, numbered and stored logs as his contribution to the war effort in the 1940's.

The fort's mobility was all the more outstanding in a wilderness which wasn't to see a wheel until 1861 when the beloved Father Lacombe introduced the Red River Cart into a land of canoes, York boats, Indian ponies and pack horses.

The Hudson's Bay Company, which by charter owned Rupert's Land (all of Canada west of Hudson's Bay) allowed no settlement outside the 20-foot log walls of the fort until the mid-1800's, when a few retiring fur traders were allowed to take up plots. Their meagre numbers were augmented by the returning "Overlanders" who straggled back from the disappointment of the Caribou Goldfields to pan the river in an even shorter-lived Edmonton gold rush. Oddly, gold may

still be panned from the gravel river shores in Edmonton.

This stamp of "boom and bust" was to plague Edmonton for 150 years, until a cold, blustery morning in February when Leduc Discovery Well No. 1 "blew in" 18 miles southwest.

The Fur Brigades died out after the Bay sold Rupert's Land to the Dominion of Canada in 1870, a year before the first river steamer, Northcote, made the rich land accessibile to settlers in numbers; and a year before the 100 doughty Edmontonians on homesteads around the Fort incorporated as a village in the North West Territories.

Arrival in the cross-river Town of Strathcona of the Canadian Pacific Railway (CPR) from Calgary in 1892 brought a new wave of hopeful pioneers, and prompted Edmonton to obtain town incorporation for its 300 residents. These grew to 3,000 in 1897-98, when hundreds turned back from the ill-fated overland route through Edmonton to the fabled Klondike Gold Rush.

By 1904 the population was 5,000 and Edmonton was a chartered city, one year before Alberta was named a pro-

Strathcona Rifle Team: Manitoba — North West League 1891.

vince and Edmonton was chosen as its capital. Seven years later, in 1912, Strathcona merged with Edmonton and the second railway arrived in the form of the present Canadian National (CN), throwing open the doors for hordes of land-seeking immigrant settlers.

The bubble, which had land speculators jostling each other on Jasper Avenue, burst in 1914. Another boom in the 1920's, fed by prospecting and northern mine development, collapsed under the Great Depression of 1930. But not before adventuresome Edmonton had opened Canada's first licensed municipal airport, Blatchford Field, where the present busy Municipal airport stands, and had gone down in history as the "home of the bush pilots", who opened up the vast North.

The City of Edmonton had been forced to take back 70,000 residential properties because their owners could no longer afford to, or wished to, pay their taxes through that troubled time. Yet war in 1939, and the 1942 United States defence decision to build the Alaska Highway with Edmonton as the staging point, brought back boom conditions.

Then oil, and Edmonton had entered a boom period which — because of present

world energy conditions — appears to have no end. For Edmonton centres not only Alberta's oil and gas formations, but its vast coalfields, and is the supply point for northern resource and water developments, such as the Athabasca Oil Sands and the $10 billion Alaska pipeline.

With a population growth of more than two per cent a year, Edmonton will pass the million mark before the year 2,000. Its ethnic mix is rich and colorful, with some 50 racial backgrounds living in harmony.

It is a young city, with more than 60 per cent of its people aged 34 or less. With more work to do than it can handle, it is attracting skilled workers from across Canada by hundreds daily. The unemployment rate remains under four per cent, far below the nation's norm.

It is a healthy, wealthy city, manufacturing some $3 billion annually. Despite oil, gas and mineral development, agriculture remains the prime basis of production wealth.

Retail sales are almost $4 billion annually, although Edmonton manages to hold its consumer price index below the national average. It boasts a registered motor vehicle for every 1.6 residents.

Personal disposable income averages $6,500 annually, while Edmonton commands more than 40 per cent of Alberta's $7 billion in provincial wages, both retail and manufacturing.

More than 80 per cent of Alberta's producing oil and gas wells are within 160 km of Edmonton, while 15,000 miles of pipelines fan out from the city in all directions, and to destinations as far east as Montreal. Alaska is next.

Potential reserve in the Alberta Oil Sands, supplied from Edmonton, are the equivalent of more than half the total world reserves of conventional oil.

Alberta's 14 per cent of known world local reserves also are largely around Edmonton, as is 75 per cent of the tonnage production for export and power generation. Twelve new, huge generating plants are being built and planned, along with new hydro developments on the northern rivers.

With Alberta predicting that 24 per cent of all future jobs will be in its forestry industry, Edmonton is again well situated because the major reserves lie to the north and west of the city.

Edmonton is served by four major highways, the Yellowhead east and west,

No. 2 to southern Alberta and the U.S., the Alaska and Mackenzie Highways north to the Arctic.

It has four major airports, including the leader for take-offs and landings, the Edmonton Municipal, which is the marshalling point for freight, goods and services into the north.

Uniquely, Edmonton is served by six major rail networks. It boasts young, thriving steel industries, and its people man the $1 billion petro-chemical industry stretching 40 miles along the river in Chemical Valley.

Edmonton is the major refinery centre in Western Canada. Yet, Edmonton maintains one of Canada's highest scores for liveability.

It has a climate for all seasons, each distinct. Summer days are warm (21°C mean) and evenings long and cool. In June, daylight lasts 16 hours. January is the coldest (-10°C average), but springs and autumns are mild and beautiful. There is an average of six hours sunshine daily, Canada's highest average.

Snowfall averages 140 cm. annually, just enough to provide ideal winter sports.

Edmonton's 148 public, and 84 separate schools (French, English and Ukrainian are taught in Edmonton's schools) and 10 colleges augment Canada's third largest university, the University of Alberta with a daily enrollment of more than 20,000 students.

The greenest city in North America, Edmonton was the first Canadian community to be declared a Green Survival City, one of only 11 North American cities to be so honored.

Recreational facilities include 176 hockey rinks, 14 golf courses, 17 curling rinks, 15 swimming centres, 12 public tennis centres and countless parks and picnic centres.

Added this year were the 42,500-seat Commonwealth Stadium and $8,500,-000 four-pool Kinsmen Aquatic Centre, along with the public Coronation Park Bowling Greens, the Strathcona Ranges and the Argyll Velodrome — all in the $36,000,000 legacy of facilities left by the XI Commonwealth Games.

The Alberta Game Farm and Elk Island Park are other major attractions in an area where more than 50 lakes are available within 160 km of the city. Hunting and fishing are superb, and readily available.

Professional Canadian football, hockey, fastball and soccer top the complete list of amateur sports — ranging from cricket through 50 different endeavors — in Edmonton. The base is Edmonton's huge system of Community Leagues, and the devotion of its people to organized activities for the young.

There are five live theatres in the city, an opera society, a symphony society, art galleries, libraries and museums.

Social services are excellent, as are Edmonton's 14 hospitals with 6,250 beds. Public transportation is a growth industry, as Edmonton opened its first Light Rail Transit line prior to the Games, the only city of less than a million population to boast rapid transit.

Climate-controlled shopping in great malls and stores throughout the city is augmented by thousands of smaller, but no-less-interesting shops. Underground and overhead pedways link much of the downtown core. Dozens of fine restaurants surround these, while the city is also noted for its many churches. There is night life to suit all tastes, eight radio and four television stations (both include French), plus two Cable T.V. companies.

The City is governed by an elected Mayor and 12 Aldermen, from four wards, plus a Board of Commissioners. It owns its own water, power and telephone systems, which generate $20 million annually for general revenues.

Seven thousand Edmontonians volunteered to serve the XI Commonwealth Games in Edmonton last summer. They did their jobs selflessly and superbly, to make the Games "the best yet."

If that surprised the visitors, it did not surprise Edmontonians. If they weren't on the map at Munich six years earlier, they were in 1978. Edmonton was a household word throughout the Commonwealth as one billion people saw, heard or read about the Games.

They, the many volunteers and the few paid but dedicated staff, made a dream that started in 1969 come true — in more vivid color and in greater dimensions than those early dreamers could visualize.

The "Edmonton Games story" was started by Alex Romaniuk, a sports-minded school principal, Dr. Maury Van Vliet, the Organizing Committee President, Dr. Ivor Dent and myself. With the aid of such buffs as Ron Ferguson and Rod Meade, of the Parks and Recreation Department, Geoff Elliott of the University of Alberta, and City Commissioner George Hughes, plus the support of City Council, the first reality came about when Edmonton was named Canada's Host City in early 1972. The next reality was success at Munich, the third and possibly the greatest was victory for "Facilities for the Future", a volunteer group led by Lyall Roper, in a money bylaw referendum which Edmonton citizens supported by a margin of 76 per cent immediately following the Christchurch Games.

Now it was time to turn it over to the able executive already in place, the devoted staff being lined up by Don McColl, General Manager, and all those selfless volunteers.

We who were first, salute them. We couldn't have done it as well alone. Our reward — We did it for Edmonton, our City.

A Brief History of the Commonwealth Games

Sport festivals have been an integral part of our cultural history for nearly four thousand years. The Tailtin Games of ancient Ireland began around 2000 B.C. and were by far the most durable, surviving until the twelfth century A.D.. The Funeral Games of the Ancient Greeks (such as those beautifully described by Homer in the twenty-third book of *The Iliad)* gave way to the more famous Olympic Games, traditionally cited as beginning in 776 B.C. and ending in 394 A.D.. In the modern world, after the promotion of several "pseudo Olympic" revivals by such sporting entrepreneurs as Englishmen Robert Dover and W.P. Brookes, the Greek Evangelios Lappas, and even by the city authorities of Montreal in 1844, it was Baron de Coubertin who successfully founded the modern Olympic Games. These were first celebrated at Athens in 1896, and continue as the largest international multi-sport festival of all time. Much of de Coubertin's inspiration came from the cult of athleticism prevalent in the public schools of England, a factor which the Baron (and others) believed to be a significant contribution towards the successful development of the vast British Empire, then in its heyday.

Indeed, given the status of Great Britain then and its acknowledged and unparallelled sporting traditions, it is hardly surprising in retrospect to find an Englishman, J. Astley Cooper, endeavouring to promote a sort of "Anglo-Saxon Olympiad" as early as 1891, five years before the Baron's Olympics were underway. This he advocated first in an article in the *Greater Britain* magazine, followed by a letter to *The Times* newspaper (October 30, 1891), and pursued further in articles entitled: "An Anglo-Saxon Olympiad" and "The Pan-Brittanic Gathering" in the *Nineteenth-Century* magazine (September 1892 and July 1893). But as historian Richard Mandell has pointed out:

> ... J. Astley Cooper, had a problem however, and one that would become familiar to many subsequent promoters of amateur athletics. Cooper's difficulty was not in defining "amateur", the word that still causes problems today, but in deciding who belonged to the "Anglo-Saxon race". While his games were to include events regularly practiced by Britons, Americans and "Colonials", he

conceived the festival as being for the benefit of the white and wellborn alone.

Cooper's rather convoluted proposals for a unifying scheme involving three sections — industrial, intellectual and athletic — among English-speaking nations, including the United States, stimulated debate and interest, but floundered in the wake of de Coubertin's progress towards his more democratic and international festival. For a personal post-mortem on Cooper's unrealized projects, see his article entitled: "The Olympic Games: What Has Been Done and What Remains to be Done" published in the June, 1908 issue of *Nineteenth-Century*, where he "was more gruffly racist" and called the Athens Games of 1896 "a hybrid, babel gathering". It is interesting to contemplate how this Reverend's son might have described the multi-racial Commonwealth Games of today! Although it seems more likely, therefore, that de Coubertin's successful enterprise provided the most obvious example to be emulated by any person(s) or nation(s) attempting to inaugurate another sports festival of any kind, at least one significant and durable influence in the history of the Commonwealth Games can be traced back to Cooper's proposals. It was pointed out by a Nigerian student, Jacob Agbogun, who wrote "A History of the British Commonwealth Games: 1930-1966" for his M.A. thesis in the Department of Physical Education at the University of Alberta, in 1970. As Agbogun observed: "Although nothing immediately materialized following Cooper's proposals, nevertheless the seed of the idea had been sown on fertile soil". This "fertile soil" was in Austrialia, manifested by Richard Coombes.

Coombes was President of the Australian Amateur Athletic Association when he quickly reacted favourably to Cooper's suggestions in 1891. Twenty years later (and three years after Cooper's petulant comment on the 1908 Olympics) Coombes found himself as Manager of the Australasian Team competing in an "Inter-Empire Sports Meeting" in London. This was a part of the "Festival of Empire" being held to celebrate the Coronation of George V; and teams representing Australasia (Australia, New Zealand, and Tasmania), Canada, South Africa, and the United Kingdom, competed in a total of nine events. There were

five events in Athletics (Track and Field), two Swimming events, one Boxing and one Wrestling event. The Canadian Team emerged as overall winner (by one point) and was presented with the Earl of Lonsdale Cup (30 in. high and weighing 340 oz. in silver). This victory may be regarded as an auspicious omen, for afterwards it was mainly the initiative of a few Canadians which transformed the hopes for a regular British Empire sports festival into reality. For many years after 1911, however, from his prestigious position, Australian Richard Coombes also "continually drew attention to the value of an Empire Sports gathering".

Following the First World War, a Track and Field competition was arranged after the 1920 Olympic Games at Antwerp between a British Empire Team and the United States, which was held at the Queen's Club, in London. A similar contest was held after the 1924 Olympics in Paris, this time at Stamford Bridge in London. By now several voices were being raised in favour of instituting "a solely British Empire Games along the lines of the Modern Olympic Games".

In his farewell address at the Annual Meeting of the Amateur Athletic Union of Canada in 1924, after serving for nineteen years as National Secretary, Norton H. Crowe said:

> I would again bring before the Union the advisability of taking the initiative in an all British Empire Games, to be held between the Olympic Games.

The Union subsequently passed a resolution that the Canadian Olympic Committee "be asked to consider the advisability of instituting **ALL BRITISH EMPIRE GAMES**".

Prior to the 1928 Olympic Games in Amsterdam, John H. Crocker, then President of the AAU of Canada enlisted the support of M.M. (Bobby) Robinson to implement Crowe's earlier proposal. At that time Robinson was a young sports reporter in Hamilton, Ontario, and Manager of the Canadian Olympic Track and Field Team. Encouraged by Crocker, and authorized by civic authorities in Hamilton, he subsequently presented a proposal to hold the First British Empire Games at Hamilton to the representatives of other Empire countries, in meetings at Amsterdam and later in London. There were many concerns expressed at these meetings and afterwards, such as a possible conflict with the Olympic Games and the expense of transportation within the vast Empire, which at times threatened to thwart the scheme. But there were positive signs as well. In any case, Robinson returned to England in January, 1930, armed with Hamilton's generous pledges of free lodging for all athletes and travel grants for those countries which needed them, and after weeks of negotiation his persistent efforts were rewarded. King George V accepted the position as Patron of the Games, the Earl of Derby became President, and Sir James Leigh-Wood, Chairman, and Viscount Willingdon, Governor General of Cananda, was named Honorary President. The Hamilton Games of 1930 have since been recognized as the first in the series of Games which have led up to the XI Commonwealth Games at Edmonton in 1978; and Bobby Robinson has been acknowledged as their real individual founder.

It can now be seen that, apart from a world-wide economic depression, other circumstances were at last favourably combined for the inauguration of such Games. The distinguished John Crocker had revealed his shrewdness yet again in his choice of the indefatigable Bobby Robinson to see the project through. Also, it is incorrect to believe that the present Commonwealth Games "predate all international games" for, apart from the Olympic Games which began in 1896, Crocker himself was involved in the organization of the first Far Eastern Championship Games in 1912/13, with China, Japan and the Phillipines as participating countries. And the first Central American Caribbean Athletic Games staged at Mexico City in 1926, coming as they did between the AAU of Canada proposals of 1924 and 1928, provided more incentive to action. If Asian and Caribbean communities could have their own Games, why not Games specifically for member countries of the British Empire? In addition, the formation of British Empire Teams for post-Olympic Track and Field contests versus the United States in 1920, 1924, and 1928, had fostered a sense of athletic homogeneity within the Empire. The chance to compete in an international arena *without* the powerful Amercian presence was more attractive, also, for by 1930, the Americans had gained no less than 88 gold medals in Olympic Track and Field competition against a combined a total of 30 for all British Empire countries. And no less than 19 of the Empire Gold Medals were won by athletes representing Great Britain, hence the sensible proposal for the countries which comprise the United Kingdom to compete *separately* in the new British Empire Games.

Again, the Olympic Games were obviously a major catalyst in the events taking place, both as a model and as a point of departure. When the holding of the Hamilton Games was formally endorsed at a meeting in London in 1930, the following statement was made:

> It will be designed on the Olympic model, both in general construction and its stern definition of the amateur. But the Games will be very different, free from both the excessive stimulus and the babel of the international stadium. They sould be merrier and less stern, and will substitute the stimulus of novel adventure for the pressure of international rivalry.

Here is revealed a natural concern for the problems being encountered in the Olympic Games, and a commitment towards less grandiose and more enjoyable athletic competition in the future.

During their forty-eight year history, the Commonwealth Games (*née* British Empire) have indeed been "merrier and less stern" than the Olympics, but it must be admitted that the odds were greatly in their favour. Commonwealth Games organizers have had to contend with *far* fewer participants and sports, aided by the unity of the Crown, and with hardly any language barriers (and so far no *Winter* Commonwealth Games have been established to further complicate matters). Nevertheless, they have deserved the commonly-used label of "the Friendly Games", bestowed because of the spirit which has generally prevailed at the ten Games held prior to 1978. There have been problems to be sure, reflecting the changing nature of the Commonwealth family of nations during this time, as well as the larger problems of the world itself. It has been customary, for example, to stress the "nonpolitical" nature of the Commonwealth Games, even in recent years when politics-and-sport have become increasingly inter-related; yet even in the inaugural year of 1930 when the Second British Empire Games had been tentatively awarded to South Africa, they were eventually switched to London in 1934, because of "the colour question". Some other awkward difficulties have had to be overcome in succeeding years (although South Africa has not participated since 1958). However, the present Commonwealth Games have indeed survived intact in a healthy state, and compare more than favourably with the other international multi-sport festivals around the world.

We cannot know what is in the future, but the past of these Games has provided some of the most glorious moments in the history of sport, savoured by millions of people from many countries, who have become firmer friends within a larger

family as a result. This brief chapter cannot do justice to their whole history (but more detailed accounts *are* available: see the selected Bibliography) but hopefully it can illustrate their development, describe the main highlights, and perhaps capture some of the flavour of their special excitement.

I BRITISH EMPIRE GAMES HAMILTON, CANADA, AUGUST 16-23, 1930

There were 400 competitors and 50 officials at these First British Empire Games, representing 11 countries: Australia, Bermuda, Canada, England, Guyana (British Guiana), Newfoundland, New Zealand, Northern Ireland, Scotland, South Africa, and Wales. The City of Hamilton had generously donated a total sum of $30,000 towards the travel expenses of eight of the visiting teams (all of which travelled by sea), and also provided free accommodation and meals for all team members. Male athletes were housed in the Prince of Wales School, adjacent to the Stadium, and female athletes lodged in the Royal Connaught Hotel in the city. A sum of $50,000 had been raised through the efforts of Lord Derby and other prominent sportsmen to send the 120 competitors of the large England team.

Hamilton celebrated the opening day with a civic holiday for its 155,000 inhabitants; when 500 delegates from a Canadian Legion Convention marched from the city centre to the Stadium. There, more than 20,000 spectators attended the official Opening Ceremonies, and cheered the teams as they paraded past the Governor-General's box in their distinctive uniforms. Prime-Minister R.B. Bennett made a brief speech, and read goodwill messages from King George V, the Prince of Wales, the Duke of Connaught, and Lord Derby. In his address, Lord Willingdon drew particular attention to the valuable place of sport within the traditions of the countries of the British Empire, before formally declaring the Games open.

Following the dignitaries' speeches, Percy Williams of Canada, winner of the 100 m and 200 m sprints at the 1928 Olympic Games, mounted the dais to proclaim the oath of allegiance on behalf of all competitors:

> We declare that we are all loyal subjects of his Majesty the King Emperor, and will take part in the British Empire Games in the spirit of true sportsmanship, recognizing the rules which govern them, desirous of participating in them for the honour of our Empire and for the glory of sport.

Canadian Athletes: From First Commonwealth Games Programme, Hamilton, 1930.

Then the crowd sang "God Save The King", there was the "firing of 21 maroons and the releasing of pigeons" (as symbols of peace), and a fireworks display, to complete the ritual. This pageantry has been repeated at subsequent Games.

Six sports only were featured at these first Games: Athletics (Track and Field), Bowls (lawn Bowling), Boxing, Rowing, Swimming and Diving, and Wrestling. Women competed only in the Swimming events; which were dominated by Joyce Cooper of England, who won three of the four individual events and was a member of the victorious 4 x 100 yards Freestyle Relay team. A reporter in the English *Times* newspaper wrote: "Fittingly Canada had the first victory in the first Empire Games", after Gordon Smallcombe became the Games' first champion by winning the Hop, Step and Jump event with a distance of 48 feet 5 ins. Percy Williams had run the 100 yards in 9.6 seconds in the preliminaries, but pulled a muscle near the finishing line in the Final. He still managed to win the race with a time of 9.9 seconds, the

last major victory of his eminent career. Other Canadian successes were recorded in Diving, where Alfred Phillips won both the Highboard and Springboard events; and in Wrestling, where Canada won the gold medal in all seven weight classes. Memorable performances were provided by Hendrick Hart of South Africa who captured gold medals in the Discus and Shot Put, and a bronze medal in the Javelin. The latter event was won by New Zealander Stanley Lay with a throw of 207 feet 1 ½ ins., a record which was not surpassed until the 1954 Games in Vancouver.

At the closing banquet in the Royal Connaught Hotel, speakers paid tribute to the organizers and the City of Hamilton. All pronounced them an undoubted success; and it was agreed that British Empire Games should continue every four years, held between the staging of the Olympic Games. Representatives resolved to form a British Empire Games Federation, with headquarters in London, to oversee future competition. On the basis of first-place victories, six countries won titles: England 25, Canada 20, South

Africa 6, Australia and New Zealand 3 each, and Scotland 2. But here the *spirit* of the contests really were more important than the *results,* as demonstrated in many ways. In the third heat of the 100 yards, for example, when a New Zealand competitor was disqualified after two false starts: "The crowd made so much noise that it was impossible to continue the racing until Elliott was allowed back". And on the day *after* the Games, Sunday August 24, all the teams marched through the city to the *Cenotaph,* at which they placed remembrance wreaths, an act that "was much appreciated by the people of Hamilton".

II BRITISH EMPIRE GAMES LONDON, ENGLAND, AUGUST 4-11, 1934.

The responsibility for the general organization of the Second British Empire Games — which included accommodation, ceremonies, finances, tickets and venues — was assumed by the British Empire Games Council for England; while the technical arrangements for each sport were handled by the appropriate National Amateur Associations. Today a similar situation exists, where representatives of the international sporting associations approve officials, and inspect equipment and facilities "in order to validate any new records".

Sixteen countries participated, with 500 competitors and 100 officials in attendance. The newcomers were: Hong Kong, India, Jamaica, Rhodesia and Trinidad. Competitions were held in six sports: Athletics (for men *and* women), Bowling, Boxing, Cycling, Swimming (men and women), and Wrestling. (Cycling had been selected to replace Rowing). White City Stadium enclosed the colourful Opening Ceremonies, attended by some 50,000 spectators. The Union Jack was hoisted amid a fanfare of trumpets; thousands of pigeons were released; the Captain of the England Team, R. L. Howland, proclaimed the oath of allegiance; and the Games were enthusiastically underway. In the procession, Canada had led as the previous host nation, followed by the other nations in alphabetical order, with England as current host bringing up the rear.

There were 21 men's and nine women's events in Track and Field, where British Guiana obtained its first gold medal in the person of Philip Edwards, winner of the men's 880 yards. Altogether five Games' records were broken in the Stadium, and one was equalled. The first women's Track and Field event ever contested at the Games was the Javelin throw . . . where the only

Members of the Canadian British Empire Track and Field Team

four entrants were all from the England team! The other women's events were: 100 yards; 220 yards; 880 yards; 440 yards Relay; 660 yards Relay; 80 m Hurdles; High Jump; and Long Jump. A. Sweeney of England became the first man to win the Sprint Double; Australian J. P. Metcalf won the Triple Jump with a distance of 51 feet 3 1/2 ins., a record which stood for 24 years; and H. Hart of South Africa repeated his double gold medal performance of 1930 in the Discus and Shot Put. A 15-year-old Canadian won the Long Jump, and a 40-year-old Canadian (from Hamilton) won the Marathon race. Yet there is general agreement that "the outstanding athlete of the London Games" was a Rhodes Scholar from New Zealand, Jack Lovelock. This future Olympic 1500 m champion won the Mile race in 4 minutes 12.8 seconds on a rain-soaked track. There is also a consensus that, even though there have been thrills and outstanding performances in the other sports at venues outside the Stadium, the Track and Field events in the Stadium have always provided the emotional core of the Games, the centre of

excitement before the always — largest audience. Within this arena, too, the mile race has always possessed a special aura.

Political considerations also became an issue in 1934 when "a controversy raged over the rejection of a team of swimmers from Ireland" [note: In the 1932 Irish elections, the Republicans won 72 seats against 65 for the government; De Valera was elected President, with a program of abolishing the oath to the King]. However, the Swimming and Diving events went on as planned in the new Empire Pool, where 6,000 spectators enjoyed Opening Ceremonies similar to those in the Stadium (minus the pigeons). There were nine events for men and eight women's events. Canadian swimmers won four of the eight women's events, including two Relays, led by Phyllis Dewar, who won four gold medals. English divers dominated both Diving events; while the Boxers of England won no less than six of the eight weight divisions. In the Bowls, Cycling and Wrestling events, the honours were more evenly distributed. Cycling made its Games debut on the last day, and was

held nearly 200 miles away at Manchester Athletic Club's ground at Fallowfield. The *unofficial* standing of countries with respect to first-places won was: England 29; Canada 17; Australia 8; South Africa 7; British Guiana and New Zealand 1 each.

It is possible to keep such statistics, incidentally, without any gloating, despair or malice; and they can be useful for analysis. The first two Games, for example, seemed to indicate an overwhelming supremacy in athletics by England and Canada, perhaps a dangerous trend for the prospects of future Games had it continued. Yet at the next Games in Sydney, in 1938, Australian athletes obtained *twice* as many gold medals as those of the "second" nation, which was again Canada. This could represent another vindication of the old Russian proverb that: "Native Walls are friendly"; or be partly the result of the long sea voyages now having to be undertaken by the English and Canadian athletes for a change. But closer inspection reveals, too, that no less than 10 of the Australian gold medals were won by *women*, five in

Swimming and five in Track and Field, certainly a significant landmark in the progress of women's sporting emancipation and indicative of a social trend.

At the completion of the 1934 Games, the Lonsdale Cup, which had been won by Canadian *male* athletes at the "Festival of Empire" competition in 1911, was presented to the British Empire Games Federation. By agreement, it was melted down in November, 1934, and silver replicas were then made of the Queen Anne Cup, then a famous 222-year old English sport trophy. One larger replica was retained by the Federation at the Royal Commonwealth Society in London; and smaller replicas were presented to eleven countries which had formed British Empire Games Associations.

III BRITISH EMPIRE GAMES SYDNEY, AUSTRALIA, FEBRUARY 5-12, 1938

These first antipodean Games provided participants from the Northern Hemisphere with a chance to enjoy a Southern Summer festival in February, an event which contrasted sharply with the Nazi Olympics in Berlin only eighteen months earlier. The English *Times* reported that Australia had been granted the Third British Empire Games for the first time "in honour of the 150th anniversary of the founding of the first white settlement on her shores". Fifteen countries were represented. Hong Kong, Jamaica and Newfoundland were not present at this time, but Fiji and Ceylon now competed. A total of 466 athletes and 43 officials participated in the competitions, in seven sports: Athletics; Bowls; Boxing; Cycling; Rowing; Swimming and Diving; and Wrestling.

The Opening Ceremonies were witnessed by "a record crowd of 40,000 people" at the famous Sydney Cricket Ground. There were some initial doubts about the unusual grass track, but no less than 22 records were established out of 28 Track and Field events, and one record was equalled. Australia's "electrifying sprinter" Decima Norman gained three new individual records, and eventually won an impressive five gold medals — a record for women track athletes which has yet to be equalled or surpassed. John Loaring of Canada won three gold medals; and Cyril Holmes, the English sprinter, became the Sprint Double champion. Cecil Mathews of New Zealand was victorious in both the Three Mile and Six Mile events, setting two new records by wide margins, another double success which has never been repeated at subsequent Games. Thomas Lavery of South Africa won the 120 yards Hurdles in 14.0 seconds, which bettered the exist-ing World Record, but on the following day officials denied the record on the grounds of excess wind-assistance.

Swimming and Diving events were held in the "Olympic Pool", which was 55 yards long instead of the customary 50 yards. The distances for the events then became 110 yards, 220 yards and 1650 yards, as opposed to the 100 yards, 200 yards and 1500 yards of the earlier competitions. Out of a total of thirteen men's and women's Swimming events, England won six, Australia won four, and Canada three. In the Diving events, Australia won three events, and England one. Canadian Robert Pirie obtained two gold and three silver medals in the Swimming events. John Davies of England won the 220 yards Breaststroke in record time — using the "Butterfly" stroke! (The first official Butterfly event over this 220 yards distance was in 1958). Davies' record lasted for twenty years.

Australian athletes dominated the Wrestling events, taking no less than six gold medals in the seven events; they also took two out of the three Rowing events; and Australia was the most successful nation in Cycling, with an overall total of two first places and two second places in the four events. The English *Times* reported that: "one of the biggest crowds — some 10,000 — in the history of cycling . . . gathered at Henson Park . . ."

Before the 1938 Games ended, a meeting of the British Empire Games Federation was held, to decide the host city for the next 1942 Games. The choice was Montreal in Canada; but the world-shattering conflicts between 1939 and 1945 meant that a dozen years would pass before the athletes of the Empire could meet again in friendly competition. And when they did, it was just across the Tasman Sea in neighbouring New Zealand.

IV BRITISH EMPIRE GAMES AUCKLAND, NEW ZEALAND, FEBRUARY 4-11, 1950

After the ravages of the Second World War, the bomb-scarred city of London bravely took on the responsibility of hosting the 1948 Oympic Games. There the members of The British Empire Games Federation met to elect a new Executive, and to select a site for the Fourth British Empire Games. K. S. (Sandy) Duncan took over as Honorary Secretary from Col. Evan Hunter (who had held the office since 1932), a responsible position which he has performed with distinction ever since. The Earl of Gowrie was elected President, and Arthur Porritt became Chairman. The City of Auckland in New Zealand was chosen as host for the 1950 Games.

Although only twelve nations participated in these first post-war Games, an unprecedented total of 590 athletes (495 men and 95 women) and 73 officials were present. Malaya and Singapore made their debut with a combined team. The "absentees" were the Caribbean Countries of Bermuda, British Guiana, Jamaica, and Trinidad; and Northern Ireland as well. Nigeria entered the Games for the first time. Nine sports were featured: Athletics; Bowls; Boxing; Cycling; Fencing; Rowing; Swimming and Diving; Weightlifting; and Wrestling. The two new sports, of course, were Fencing (which included one event for women) and Weightlifting. The Games were financed through a specially registered company: "The 1950 British Empire Games (N.Z.) Ltd.", and £15,000 was used to subsidize the travel expenses of the visiting teams. These were accommodated free-of-charge at Ardmore Teachers' Training College, in keeping with the generous tradition of the Games. The official opening was conducted by Sir Bernard Freyburg, V.C. at Eden Park, before a capacity crowd of 40,000 enthusiastic people.

The star of the track was yet another female Australian sprinter, 18-year-old Marjorie Jackson, who thrilled the spectators by equalling the World Records in her victories in the 100 yards and 220 yards. She obtained two more gold medals in the Relays. John Treloar of Australia also won the Sprint Double in the men's competition. Duncan White achieved Ceylon's only gold medal ever won at the Empire Games in the 440 yards Hurdles; and Mataika Tuicakau of Fiji obtained a similar distinction in the Shot Put event (and gained a silver medal in the Discus). The Marathon race was won by veteran 43-year-old Jack Holden of England after an eventful experience:

His shoes burst after 16 miles and he ran the remaining 10 miles . . . shoeless . . . about three miles from home . . . a Great Dane dog attacked him and marked his legs. . .

Tom Lavery of South Africa had won the 120 yards Hurdles in 1938 but had to be content with a bronze medal at Auckland. After the start he lost the button on his shorts "and only the pumping action of his legs kept him from complete embarassment. The shorts would slip down to his thighs only to be jerked upwards as he cleared each hurdle".

At the Drill Hall, English athletes won six gold medals and one silver in the seven Fencing events, the solitary exception being the gold medal won by the Australian Epee Team. It was the Australian athletes' turn, however, to dominate in the Cycling events, held at Western Springs on the outskirts of Auckland. Out of five events, they captured no less than four gold, three silver, and two bronze medals. And in the Rowing events, also, Australian oarsmen won four out of five events. These took place before "50,000 spectators" at Lake Karapiro, nearly 100 miles away, in sweltering heat. Honours in the Men's Swimming and Diving at Newmarket Olympic Pool were more evenly distributed; but in Women's Swimming, the Australian competitors won four of the six events. Edna Child of England won both the Women's Diving events. The youngest gold medal winner was 14-year-old South African swimmer, Joan Harrison, who established a new record in the Women's 440 yards Freestyle. In Bowls (although New Zealand bowlers won two of the three events), Boxing, Weightlifting and Wrestling, the contests were much more even and the medals well-shared; but not surprisingly Australia was the most successful nation in terms of first-place finishes. Yet it was pointed out that: "all the twelve countries were successful at least once in gaining a place".

The 1950 British Empire Games were outstanding in many respects: efficient organization, high standards, several new Games records established, and some World Records equalled, and a pleasant financial outcome where: "a total of 246,694 people paid for admission to the Games" resulting in "gross receipts amounting to the satisfactory total of £89,457 - 19 s - 3d". At the official closing ceremony, the *Times* reported: "[and] . . . a human and most impressive touch was added by the vast crowd joining in the singing of Auld Lang Syne and Now is the Hour — the New Zealand song of farewell". Another "Friendly Games" had ended; now they would return for the next celebration to the land of their birth.

V BRITISH EMPIRE AND COMMONWEALTH GAMES VANCOUVER, CANADA, JULY 30 - August 7, 1954

In the recent best-seller *The Book of Lists*, there is a section entitled: "The Sporting Life" which contains more than fifty various lists of athletic achievements. One of these is labelled: "The 6 Most Dramatic Events in Sports History". The second-to-sixth choices all involve American athletes . . . but the first choice is "The Bannister-Landy 1-Mile Duel (1954)", which took place at the Fifth British Empire and Commonwealth Games and was billed as the mile of the century, between Roger Bannister of England and John Landy of Australia:

> Three months earlier, Bannister had been the first person to break the 4-minute mile. Landy was the only other person to have covered a mile

Roger Bannister passing John Landy to win "The Miracle Mile" in Vancouver's 1954 Commonwealth Games

in under 4 minutes and now held the World's Record. At the gun, Landy got off to a fast lead wih Bannister running third, then second, behind him. As the bell sounded for the last lap, the final 440 yds., Landy was still in front, with Bannister at his heels. Coming into the stretch, Landy looked back over his shoulder, Bannister was not there. Then Landy realized Bannister was in front of him, and gaining. Bannister won the historic mile by 5 yds. in 3:58.8 against his rival's 3:59.6.

In fact, Landy *knew* that Bannister was close behind him; and an experienced runner in the *inside* lane at the bend, running anti-clockwise, does not look over his *left* shoulder to see an opponent who obviously *must* overtake him by his *right* shoulder. Landy was looking to see where the *third* runner was situated [Richard Ferguson of Canada, 4:4.6] in case he had another battle on his hands for the silver medal. This moment is preserved for posterity by a statue of both runners outside the Empire Stadium in Vancouver, scene of what are usually referred to as "the Miracle Mile Games".

The Marathon event provided drama of a different sort when Jim Peters, the 35 year old Captain of the England track team, lurched into the Stadium after running 26 miles, with only a lap to complete for the gold medal. But he was almost completely exhausted; and spectators then witnessed the agony of this brave runner, falling down eleven times in all, and staggering and crawling, in his heart-rending attempt to reach the finishing tape. This personal-yet-public self-

torture continued "for fully 19 minutes before he fell into the arms of the English masseur"; but alas, this relief came 200 yards short of the real finishing line. It has been described as: "the most heroic display of running ever witnessed". No statue commemorates his courage, but the Jim Peters Fund to assist under-privileged children has been established.

There were memorable performances by other individuals at the 1954 Games. Emmanuel Ifeajuna (Nigeria) established a new Games' High Jump record with a leap of 6 feet 8 inches and Ken Wilmshurst (England) won both the Long Jump and Triple Jump. Marjorie Nelson (neé Jackson), the Australian sprinter, won three gold medals as did Yvette Williams, the New Zealand all-rounder. In the middle-distance running events, English athletes dominated by winning ten of twelve possible medals. The outstanding Swimming performance came from John Hendricks of Australia, who won three gold medals. South Africa took charge of the Wrestling by claiming six of the possible gold medals.

The Vancouver Games formed "a middle point in size and title" in the history of Empire-or-Commonwealth Games, and could be said to represent the first of the larger and more sophisticated spectacles of "the contemporary era". Twice as many countries were represented, by 662 athletes competing the same nine sports featured at Auckland four years earlier (and they would remain unchanged for the future Games of 1958 and 1962, also). The new title for the festival "reflected the growing political maturity of member countries and the changing relationship of the mother country to her former Empire". By now, too, most teams used airplanes for transportation thus greatly reducing their travel schedule. The University of British Columbia provided a temporary "Games Village" for accommodation (as will the University of Alberta in 1978). On the financial side, the various facilities used for the sport venues had cost $2,034,583, and equipment cost a total of $19,045. Box office receipts were $387,980. Fortunately, there was now a three-way cost-sharing agreement in effect among the federal, provincial and municipal levels; and for the Vancouver Games each of the three governments donated $200,000 to the "British Empire and Commonwealth Games Canada (1954) Society" established to administer the Games. Also, in December, 1952, the majority of citizens of Vancouver had voted in favour of a $750,000 by-law to partially cover the cost of Empire Stadium. In addition, twenty local communities contributed $21,770; the City of Vancouver gave a grant of $181,222.67, explicitly for Stadium construction costs; and after the Games, the B.C. Government allocated an additional $50,000 to help defray the deficit.

VI BRITISH EMPIRE AND COMMONWEALTH GAMES CARDIFF, WALES, JULY 18-26, 1958.

The small country of Wales, which had been a participant since 1930 attracted the largest assembly to date: 35 countries sent more than eleven hundred athletes, and 228 officials, to Cardiff in 1958. They have been described, in 1978, as:

> Possibly the greatest Games, as far as performances go . . . when 10 World Records were broken and almost the complete Record Book in regard to Commonwealth times was rewritten. The Games were full of drama and the series of World Records, particularly in Swimming, showed the tremendous advancements made in sport in this period of the last 50's.

However, one ominous cloud threatened before the Games even began. There were a number of protest demonstrations in Cardiff and London, as it was believed that South Africa's team "had been selected on the basis of colour rather than ability". While the athletes themselves did not later appear to be alienated by events, this turned out to be the last Games at which South Africa competed, and it withdrew from the Commonwealth in 1961. Those who remembered with affection the contribution of that country

and its athletes to the celebration of every one of these Games since 1930, could only be saddened by this turn of events.

A message from Her Majesty The Queen at Buckingham Palace, contained in a specially-designed baton, was relayed by a total of 664 runners, day and night, to the Opening Ceremony, for Prince Philip to read aloud to the large crowd assembled in Cardiff Arms Park. As indicated, spectators at all the venues found much to cheer about during the next few days, of which only a few highlights can be selected for mention here. And again there were stories of courage outside the events themselves, such as the victory by New Zealander Murray Halberg in the Three-Mile event. Halberg had a withered arm "which hung limply from his shoulder in an unnatural position", and during his childhood he had been stricken with polio. Only twelve months before the 1958 Games, South African Gert Potgeiter lay temporarily paralysed in hospital after breaking his neck in a Rugby match; yet he recovered to win the gold medal in the 440 yards Hurdles, setting a new World Record of 49.7 seconds which still stands as a Commonwealth Games record!

The great Herb Elliott of Australia won the 880 yards and the Mile race. Behind Elliott in the Mile were countrymen Mervyn Lincoln and Albert Thomas, giving Australia a medal sweep in the event. Another Australian David Power obtained a double victory in the Six Miles and Marathon, establishing Games records in both events. Marlene Mathews-Willard of Australia won the 100 yards and 220 yard, and her record of 23.6 seconds in the latter event is still unsurpassed. So, too, is the 188 feet 4 ins. Javelin throw of her team-mate, Anna Pazera. But other gold medal performances by such athletes as Keith Gardner of Jamaica, Milka Singh of India, Geoff Elliott of England, Stephanus du Plessis of South Africa, or Susan Allday of England, provided stiff competition for the men and women from "Down Under". And Englishman Michael Ellis threw the Hammer nealy 27 feet further than it had ever been thrown before in Games' competition.

In the Swimming events it again seemed to be "Australia verus the Rest". In the eight Men's events, one World Record and six Games Records, were established, and Australia won seven of them. The Australian stars were led by John Konrads with two gold medals; whose 14-year old sister also won the Women's 440 yards Freestyle, beating the more-famous Dawn Fraser and Lorraine Crapp. The Women's Swimming competition consisted of a struggle between Australia and England in the seven events, in which new Games' Records

were set in all of them and World Records in four. Eventually Australia gained four gold medals and England three. Judy Grinham and Anita Lonsborough were the English stars; along with Charmian Welsh who won both Diving events.

In other competition, six of the South African finalists in Boxing came away with four of the gold medals. The results in this sport offered a glimpse of the future, too, as the names of Nigeria and Uganda appeared among the medal winners. The next four Games would see an increasing number of African nations appear in the Honour Roll for Boxing, including Ghana, Kenya, Malawi, Tanzania, and Zambia. The success of the black African athletes, as well as those from the Caribbean and Pacific, naturally reflected their improving status within the changing Commonwealth. In future, the athletes of the founding white nations would face much stiffer competition in their traditional sports. Another inkling came from Asia, symbolized in the Wrestling competition, where the South African team won four gold medals, the Pakistan wrestlers won three, and another gold was won by Lila Ram of India.

The Closing Ceremonies at Cardiff were highlighted by a taperecorded message from the Queen who had chosen the occasion "to create my son Charles Prince of Wales today", news which was enthusiastically received by the largely Welsh crowd; and by the intermingling of the athletes and officials at the very end in a mass gesture of common friendship.

VII BRITISH EMPIRE AND COMMONWEALTH GAMES PERTH, AUSTRALIA, NOVEMBER 21 - DECEMBER 1, 1962.

A total of 1,041 competitors and officials from thirty countries participated at Perth; where British Honduras, Dominica, Papua/New Guinea, and St. Lucia were represented for the first time. Amond the notable absentees were India and Nigeria, and of course South Africa. A crowd of 50,000 in the new million-pound Perry Lakes Stadium sweltered in searing heat during the Opening Ceremony. Electronic photo-finish and timing equipment (first available at Vancouver in 1954) now assisted the judges in the Athletics (where a cinder track was used), Cycling and Swimming events. Again many new Games records were established—teams were now training harder for the Olympic and Commonwealth Games—especially in Swimming.

Australian swimmers almost completely swept the Swimming events, allowing Canada and England only one gold medal each. They were led by Murray Rose with four gold medals, but Ian O'Brien and Kevin Berry also gained three gold medals apiece. As in Cardiff four years earlier the Australian and English Women Swimmers again found themselves in a titanic struggle for supremacy. This time England emerged with five gold medals—three for Anita Lonsborough and two for 15-year old Linda Ludgrove—to four gold metals for Australia. Dawn Fraser captured two individual titles and assisted in the Relay victories. Brian Phelps of England won both Men's Diving events; Australian Susan Knight won both Women's Diving events.

Unfortunately, Herb Elliott was absent from these Games and so the anticipated duel between him and New Zealand's Peter Snell did not take place in the Stadium, where Olympic champion Snell eventually won the 880 yards in World Record time and the Mile event. Altogether ten Games' records were broken in the Men's Track and Field events; and Australia gained five of the new Records, all of them in Field events. Australian Women also won five gold medals, five silver, and six bronze medals in Track and Field, as the most successful competitors. England achieved three medals in each category. Among the highlights were Dorothy Hyman of England winning the Sprint Double; and Australian athletes winning *all* three medals in the Women's High Jump *and* Long Jump, a feat which has never duplicated. Bruce Kidd of Canada, only 17-years old at the time, won the Six Mile event in the new Games Record time of 28 minutes 26.6 seconds. African power revealed itself on the track when Seraphino Antao of Kenya won the Men's 100 yards and the 220 yards.

Although the Boxing honours were quite well-shared, three African nations were also well-represented in the medals. Ghana led the way with two gold and four silver medals; and Uganda had one gold and three bronze medals. Kenya had a silver and a bronze medal. There were administrative problems encountered during the Boxing events (so that some Team Managers were recruited as ringside officials) and a protest over the appointment of a South African judge. Robert Mallon became the fourth consecutive Scottish boxer to win the Flyweight class.

Australian athletes dominated in the Cycling events, winning four of the five titles contested; but an even greater imbalance occurred in Wrestling where Pakistan grapplers gained no less than seven of eight divisions! England obtained two gold medals in Bowls, "where Scotland took second place in all three events, while Rhodesia did the same with the third places." Competition

honours in the other sports of Fencing, Rowing and Weightlifting were much more evenly divided. Final mention should perhaps be made of fencer R. Rene Paul of England who retired after these 1962 Games, having won a total of seven gold medals, two silver, and one bronze medal in Games' competition since 1950.

Among other things, the Perth Games would definitely be remembered for their happy ending, described as follows:

> . . . the athletes took over and turned the Closing Ceremony into a hilarious and moving farewell to Perth and the VIIth Games . . . Welsh boxer Rocky James mounted the podium to lead the 700-voice choir through "Waltzing Matilda". . . The athletes marched out, arm in arm. Only then did the Duke of Edinburgh leave, his open car almost engulfed by waves of cooeeing, cheering, laughing spectators. The crowd and athletes had turned the formal cermony into something warm and infinitely moving. Undoubtedly the Seventh Games had achieved the primary objective of promoting inter-Commonwealth friendship.

There were three candidate countries for the next 1966 Games, eventually awarded to Jamaica, "the smallest independent country ever to stage the Games".

VIII BRITISH COMMONWEALTH GAMES KINGSTON, JAMAICA, AUGUST 4-13, 1966

More than a thousand athletes from thirty-four countries, and the largest number of officials to date (266) came to this Caribbean island for the 1966 Games. The siting of the venues, including the three main ones—the National Stadium, the Swimming Pool and the new Convention Hall—were all situated within walking distance of each other: "a masterpiece of planning which did not go unnoticed by overseas spectators". However, a huge traffic jam around the area meant that many of the athletes travelling by bus to the Stadium actually missed the Opening Ceremony. There were competitions in nine sports again, but now Badminton and Shooting replacing Bowls and Rowing in the programme. The number of lanes used for Track and Field and Swimming events was increased from six to eight; and this was to be the last Games at which distances were measured in yards. Electronic equipment again assisted the judges in their decisions; and by now not only were the Games being televised, but they were being transmitted by satellite-com-

munications to interested viewers in many countries.

It has been suggested that the athletes might have been affected by the heat and humidity, yet there were some fine Track and Field performances. In the women's events, for example, two Games Records were broken, two more equalled, and one was established in the new 440 yards event. Once more the Australian female athletes showed their class, winning seven of the eleven women's titles, led by Dianne Burge who claimed three gold medals, including the Sprint Double. Valerie Young (neé Sloper) of New Zealand won the Shot Put for the third time and the Discus for the second time. She returned to competition at Christchurch in 1974 to win a Shot Put silver medal, sixteen years after winning her first Games gold medal. And "the first medal of any kind gained in any sport in the Games by an African woman" was won by Violet Odogwu of Nigeria who came third in the Long Jump. In the men's Track and Field events, thirteen Games Records were broken, one was equalled, and two were established in the new events, i.e. the Decathlon and the 20-Mile Walk. Here the competition was much more even, and ten countries shared titles as follows:

> Australia and England
> 4 gold medals each
> Kenya and New Zealand
> 3 gold medals each
> Canada, Ghana and Trinidad
> 2 gold medals each
> Nigeria, Scotland and Wales
> 1 gold medal each

Again, the emerging prowess of the athletes of the younger nations was obvious in many of the results, perhaps no more so than in the record victories by Kip Keino of Kenya in the Mile and Three Miles, and by unkown Naftali Temu in the six-Mile event. In the Mile race, the first six finishers all broke the four-minute mile, and all the medal winners bettered Roger Bannister's 12-year old Record of 3:58.8.

There were no less than fifteen World Records set in the Swimming events at the 1966 Games! Again Australian men dominated expecially Michael Wenden, Robert Windle, Ronald Jackson, Peter Reynolds, and Ian O'Brien—by winning ten of the thirteen events. However, in women's competition, this time the duel was *not* between Australia and England for a change—Australia won only one gold medal—but between England and the new swimming power of Canada, each country obtaining five gold medals. The star of the competition was 5 ft. 2 in, 15-year old Elaine Tanner, the Canadian "Mighty Mouse", who in one amazing week won four gold medals and three silver, established a new World Record for the 220 yards Butterfly, and contributed to the World Record set by the Canadian 4 x 110 yards Freestyle Relay team. Her main rival was Linda Ludgrove of England who won three gold medals. Her countryman, Brian Phelps, again won the Diving Double (Highboard and Springboard).

In the ten Boxing events, the black African nations made an impressive showing, capturing no less than seventeen medals between them, including three gold medals for Ghana, two gold medals for Nigeria, and one gold medal for Kenya. The Cycling honours were divided, with Trinidad and Tobago "showing strength for the first time" through the two victories of Roger Gibbon; and two English cyclists winning a gold medal each. The Isle of Man obtained its first gold medal ever with the success of Peter Buckley in the 120 Miles Road Race. The Fencing competitions, with six events for men and two for women, were really no contest as "England won all of the gold medals and more than its share of the silver and bronze in the individual events". This was the last such competition for Allan Jay of England who accumulated seven gold medals, one silver, and two bronze medals during his distinguished career in Commonwealth Games since 1950. Englishman Ralph Cooperman was another outstanding fencer who won two gold medals in 1966, to go with the five gold, three silver, and one bronze medal, which he had already won in previous competition since 1954. The Weightlifting events were evenly contested, with six countries winning titles in the seven classes. England was the nation to win two, with Precious McKenzie winning the Bantamweight (up to 56 Kg.), and Louis Martin repeating his 1962 victory in the Middle-Heavyweight division (up to 90 Kg.). He went on to win a third gold medal in this event in 1970. Pakistan was again the most successful nation in the Wrestling competition, but this time with only four gold medals out of a possible eight, as severe competition was provided by its neighbour, India, whose representatives won three of the Wrestling events.

There was a natural curiosity surrounding two sports which were appearing in Commonwealth Games competition for the first time, Badminton and Shooting. Ten countries were represented in the five Badminton events: Men's Singles; Men's Doubles; Mixed Doubles; Women's singles; and Women's Doubles. The tournament was almost completely dominated by the players from England (three gold, two silver, two bronze medals) and Malaysia (two gold, two silver, one bronze). There were five events in the Shooting competition, also: Small Bore (.22 Rifle); Full Bore (.303

Rifle); Free Pistol (.22 Single Shot); Rapid Fire Pistol (.22 Semi-Automatic); and Centre Fire Pistol, but with more even results. At the conclusion Canadian shooters Gilmour Boa and James Lee had each won a gold medal, as had the English pair of Charles Sexton and Anthony Clark, while Lord Swansea won the Full Bore Rifle event for Wales. And marksmen from Australia, Canada, Jamaica, New Zealand, and Papua and New Guinea, also shared in the silver and bronze medal honours, to demonstrate the keen rivalry in this inaugural competition.

There were conflicting reports concerning the Closing Ceremony of the 1966 Games. On this more formal occasion "only the medal winners participated in the closing parade", and so the more spontaneous scenes of friendship and goodwill among *all* participants which had ended the Perth Games could not be repeated. But the VIII Games themselves had been an undoubted success.

At a meeting of Federation representatives held on August 7, 1966, the title of the Games was changed to The British Commonwealth Games; and the bid of Edinburgh, Scotland, to be host city in 1970 was accepted.

IX BRITISH COMMONWEALTH GAMES EDINBURGH, SCOTLAND, JULY 16-25, 1970

The 1970 Games at Edinburgh were the largest in Commonwealth history, with 1095 male competitors, 288 female competitors, and 361 officials from forty-two countries in attendance. Excellent facilities were provided in this gracious city, particularly the new Meadowbank Sports Centre, which included a Stadium with an appropriate tartan track. The University of Edinburgh Student Halls of Residence at Salisbury Green were used as the "Commonwealth Village" to accommodate the athletes (where the food, according to the Canadian Team General Manager, "was probably the finest served at any Games yet"). Competitions were held in nine sports selected by the organizing committee in Edinburgh and sanctioned by the Federation: Athletics; Badminton; Bowls; Boxing; Cycling; Fencing; Swimming and Diving; Weightlifting; and Wrestling. All the Cycling, Swimming, Track and Field and Weightlifting events were now measured on the metric system, and so Commonwealth records were now more easily compared with performances at the Olympic Games. Another distinction to remember was the presentation of a new Federation flag, donated by Canada, which was marched into the Stadium and

raised. Also, Her Majesty Queen Elizabeth II attended the Games for the first time.

Two Scottish brothers opened and finished the Games with gold medal performances for the host nation. Older brother Laughlin Stewart won the 10,000 m race over strong opposition which included Ron Clarke, Kerry O'Brien, and Naftali Temu; while younger brother 21-year old Ian raced away from the great Kip Keino to win the 5,000 m event. Another Scot, Ian McCafferty, came second in this event. Keino, however won the 1500 m in 3:36.6, just 1.7 seconds outside his 1968 Olympic Record. Other successful African athletes included Charles Asati of Kenya, who won two gold medals and a bronze medal; and his team-mate Robert Ouku, who won the 800 m for men. Lawrence Peckham of Australia repeated his 1966 victory in the High Jump, but this time he became the first man in the history of the Games to clear seven feet, with a jump of 2.14 m (7 ft. ¼ ins). Similarly, Michael Bull of Northern Ireland pole vaulted over sixteen feet for the first time in Games' history with a vault of 5.10 m (16 ft. 8 ¾ ins.). Howard Payne of England won the Hammer Throw for the third successive time, establishing a new Games' Record of 67.80 m (222 ft. 5 ins.). In the women's events, yet another dynamic Australian competitor appeared to win the Sprint Double, and a gold medal in the 4 x 100 m Relay as well. This was schoolgirl Raelene Boyle. Australian Pamela Kilborn picked up her third successive gold medal in the 100 m Hurdles (80 m in 1962, 1966). And 17-year old Jamaican, Marilyn Neufville covered the 400 m in the World Record time of 51 seconds. But perhaps the greatest drama occurred in the women's 1500 m Final when New Zealander Sylvia Potts was in lead, but fell sprawling just short of the finishing line, and as she lay on the track "the rest of the field raced past the stricken Kiwi girl to take the medals".

The men's swimming events mainly reflected a contest between Australia and Canadian competitors. In the end, Australia had a total of eighteen medals (six gold, four silver, and eight bronze) to Canada's eleven medals (five gold, five silver, and one bronze). The most successful Australian swimmer was Michael Wenden of Australia with four gold medals and a silver. Canadian Bill Mahony achieved victories in the 100 m and 200 m Breaststroke and another in the Medley Relay; while team-mate George Smith won two gold medals and two silver medals. It is interesting to note that the Australians took first, second and third places in both the 100 m and 400 m, Freestyle Relays; while the Canadians achieved a similar feat in the 100 m Butterfly event. Also noteworthy is the fact that at these games Wales with a total of five swimming medals (one gold, two silver, and two bronze) outscored England with a total of four medals (two silver, two bronze). Donald Wagstaff of Australia captured both the men's Diving titles, after being runner-up to Brian Phelps in 1966; and he went on to emulate Phelps by performing the same Double in 1974. Beverly Boys of Canada also won the same two events in the Women's Diving competition. The power of the Australian women swimmers at Edinburgh was awesome. In no less than three events the 400 m Freestyle, 800 m Freestyle, and 200 m Butterfly—they gained all three places. In the total of fourteen events, they claimed twelve gold medals. Here are the Australian heroines during an amazing week: 16-year old Karen Moras broke her own World Record in the 800 m, and won two other gold medals as well; Lynn Watson won four gold medals and one silver, as did her team-mate Denise Langford; and Beverley Whitfield obtained three gold medals. Altogether the combined Australian Swimming Team, men and women, had collected a total of twenty gold medals—a phenomenal achievement.

Canada, England and Malaysia were the successful nations in the Badminton competition. England swept all the medals in both the Mixed Doubles and Women's Singles, and took the gold and silver in the Women's Doubles, with the bronze medals going to Malaysia. Jamie Paulson of Canada won the gold medal in the Men's Singles, with the silver and bronze going to England. Malaysia won the gold and silver medals in Men's Doubles, with Canada winning the bronze medal. There was great excitement in the Lawn Bowling where Hong Kong won its first gold medal ever at the Games in the Fours event. And the 102.3 Miles Road Race in the Cycling events "featured the most amazing finish of the Games" when two riders "tore down the last hill to sprint to the finishing line, locked together" . . . with the result that Bruce Biddle of New Zealand, the winner, and Raymond Bilney of Australia, were only one-hundredth of a second apart! Jocelyn Lovell of Canada established a new Games' record in 10 Miles Scratch event, taking almost a minute off the old mark, and won a silver and bronze medal in other events as well. In the eight Fencing events, England won all the gold medals bar one, the popular exception being the victory of Alexander Leckie of Scotland in the Men's Sabre Individual. At these Games, H. William Hoskyns of England became the winner of more gold medals than any Commonwealth Games fencer. He was the winner of eight gold medals and one silver altogether. Janet Wardell-Yerburgh, also of England, repeated her

double gold medal victories in the Foil Individual and Foil Team.

The youngest competitor ever to win a gold medal for Wrestling competed at Edinburgh, after having to obtain special permission to do so from the International Wrestling Federation. This was the 14-year old Indian boy Ved Prakash, who won the Light Flyweight division. In this gruelling sport the honours were evenly divided between rivals India and Pakistan, with five gold medals each. Muhammed Faiz of Pakistan, who had won the Middleweight titles in 1962 and 1966, this time won the Light Heavyweight event. Canada won the only other gold medal in Wrestling, through the victory of Heavyweight Edward Millard, as well as five silver and three bronze medals. There were eleven weight classes in Boxing events, also, at the 1970 Games, where the African nations collected eight gold medals. Their enthusiasm and strength in this sport is shown by the following analysis of the Edinburgh results:

	Gold	Silver	Bronze
Ghana	2	-	1
Kenya	1	2	2
Malawi	-	-	1
Nigeria	2	-	-
Tanzania	-	1	-
Uganda	3	2	-
Zambia	-	1	2

Among the other countries competing in Boxing, the host nation of Scotland was most successful by winning six medals. A contrast was evident in the nine weightlifting events where not one African nation achieved a medal; and the gold medals were divided between Australia and England, with four medals each. The other gold medal was awarded to Russell Prior of Canada, making his impressive Heavyweight debut.

After the Games, there was a little surprise expressed in some quarters at the expertise which had been shown by the Scottish hosts. But why should this be? For more than a hundred years in many parts of the Commonwealth and elsewhere, Scots had been organizing their popular Highland Games with great pageantry and skill before crowds of 30,000 or more. In any case, the subsequent expressions of admiration far outnumbered any other comments. The Edinburgh festivities of 1970 were recently summed up well in *The Official Souvenir Book for the XI Commonwealth Games*:

These Games showed clearly the good which can come from any large sporting gathering of competitors from different countries. The finances to stage such events are immense but, on this occasion, the traditionally tight Scots trod the

financial path with the caution of a carefree, barefoot schoolboy crossing a field of thistles. But the outcome was worth it, for international understanding between countries of the Commonwealth was greatly strengthened. The might of Australia, England and Canada competed against such countries and Island Domains as Hong Kong, St. Vincents, Isle of Man and Malawi—and not always with success. Indians and Pakistanis fought—but only within the bounds of true sportsmanship on the wrestling mat.

At a meeting of the General Assembly of the British Commonwealth Games Federation held during the 1970 festival at Edinburgh, the next 1974 Games were awarded to the City of Christchurch in New Zealand. It was agreed, also, that in future the host city would be selected *six* years prior to the British Commonwealth Games, at the Federation Meeting which took place during the Olympic Games.

X BRITISH COMMONWEALTH GAMES CHRISTCHURCH, NEW ZEALAND, JANUARY 24 - FEBRUARY 2, 1974

At the 1974 Christchurch Games, there were 1,276 competitors (977 men and 299 women) and 372 team officials, representing 38 countries. Again, nine sports were on the programme, but this time Shooting returned to replace Fencing. The tradition of relaying the Queen's opening message by baton was maintained, and the identity of the final runner was unknown until it was carried into the Stadium at Christchurch. Then "a thundering ovation" greeted Sylvia Potts, the New Zealand athlete who had fallen just short of the finish while leading in the 1500 m event at the 1970 Games, as she completed one lap of the track before handing the baton to H.R.H. Prince Philip. At this time, of course, it was now known that the City of Edmonton, Alberta, was to be the host in 1978 and so the flag of Canada was raised alongside the Federation flag, and that of the present host country New Zealand.

Once again much of the excitement in the Track and Field events was generated through the prowess of the African athletes. Filbert Bayi gained the first gold medal for Tanzania when he defeated New Zealander John Walker in the 1500 m in the new World Record time of 3:22.2. Ben Jipcho of Kenya came third in this race, but won the gold medal in the 5000 m event *and* another in the Steeplechase. Charles Asati, also from Kenya, repeated his 1970 victory in the 400 m, and picked up another gold medal with his countrymen in their repeat victory of the 4 x 400 m Relay event. Yet another Kenyan, John Kipkurgat won the 800 m and his team-mate Michael Boit gained the silver medal in this event—in which the first six competitors all finished inside the previous Record time! Donald Quarrie of Jamaica "established a first in Men's Track for the Games" by winning the Sprint Double for a second time, repeating his 100 m and 200 m victories at Edinburgh (John Mwepi of Kenya was second in the 100 m, and George Daniels of Ghana came second in the 200 m). Pole-vaulter Michael Bull of Northern Ireland demonstrated a new versatility by winning the Decathlon Championship; but Hammer-thrower Howard Payne of England, gold medal winner in 1962, 1966 and 1970, had to be content with a silver medal this time, even though he achieved a greater distance than at previous Games. He was succeeded by team-mate Ian Chipchase, who established a new Games' Record of 69.56 m (228 ft. 2 5/8 ins.).

In the women's events, Raelene Boyle of Australia, like Donald Quarrie, also repeated her Sprint Double success of 1970. Marjorie Jackson of Australia had last achieved this feat in 1950 and 1954. It is interesting to note that: "this double victory in the sprints for women had occurred in every Games to date". Raelene Boyle was also a gold medal winner in the 4 x 100 Relay in both the 1970 and 1974 Games. In this Relay (previously 4 x 110 yds) at Christchurch, the Australian women were victorious for the fourth time in a row, to make it five wins out of six competitions. England had won in 1958, and come second on every other occasion. Ghana came third in this event in 1974, incidentally, only one-tenth of a second behind England. And Modupe Oshikoya of Nigeria won the gold medal in the Women's Long Jump, the silver medal in the Pentathlon, and the bronze medal in the 100 m Hurdles—indications that African female competitors were beginning to emulate their male counterparts. Barbara Lawton of England became the first women in Commonwealth Games' history to clear six feet, when she exceeded this height by half-an-inch in the women's High Jump. Jane Haist of Canada won both the Shot Put and Duscus, setting a new Games' Record of 55.25 m (182 ft. 1 7/8 ins.) in the latter event. In the Pentathlon event, Mary Peters of Northern Ireland duplicated her 1970 victory; as did Australian Petra Rivers in the Javelin throw, also. The victories of two competitors from Northern Ireland in both the Men's Decathlon and the Women's Pentathlon events was par-

ticularly noteworthy for that small country.

Once again the Australian men swimmers put in a superlative performance in the Pool, gaining a total of no less than nine gold medals, five silver, and four bronze, out of fifteen events. And here at Christchurch, Michael Wenden of Australia "became the athlete to win the most swimming medals in the history of the Games". At the close of competition, he had amassed a personal total of nine gold medals, three silver, and one bronze medal; and he held the Games' Records in the 100 m and 200 m Freestyle events. The Australian men swimmers also swept all the medals in two of the events: the 400 m Freestyle and in the 200 m Breaststroke. Their Relay Team won the 4 x 200 m Freestyle Relay (previously 4 x 220 yards) for the sixth consecutive time. Next to Australia, there was a keen struggle between the male swimmers of Canada and England; with the result that the England Team finished with a total of eleven medals (two gold, four silver, and five bronze) and the Canadian Team with ten (two gold, four silver, and four bronze). The Canadian Team won the 4 x 100 m Medley Relay (previously 4 x 110 yards) for the third time in succession; and also managed at last to win the 4 x 100 m Freestyle Relay after having been silver medal winners at the three previous Games. Mark Treffers of New Zealand delighted the home crowd by winning the 400 m Individual Medley in the new Record time of 4:35.9, as well as winning a silver medal in the 1500 m Freestyle event. David Wilkie of Scotland won gold medals in the 200 m Breaststroke and 200 m Individual Medley, and a silver medal in the 100 m Breaststroke. Finally, Donald Wagstaff of Australia became the most successful diver in Games' history by winning the men's Highboard and Springboard events. He had performed this double in 1970, and gained two silver medals in Diving in 1966.

In the Women's Swimming and Diving events, it was the Canadian Team which acheived dominance for the first time. In fact, in the Springboard Diving event, Canadian competitors gained all three medals—Cindy Shatto (gold), Beverley Boys (silver) and Teri York (bronze) the first time this had occurred since the inception of *this* event in the first Games of 1930 (England had swept the Highboard event in 1958). But the Canadian success was not achieved without a considerable challenge from the Australian women. The eventual result was that Canada obtained seven gold, five silver, and three bronze medals; while Australia gained four gold, seven silver, and three bronze medals fifteen to fourteen! Wendy Cook of Canada won both the 100 m Backstroke and 200 m Backstroke events

in Games' Record times; and she was a member of the winnning 4 x 100 m Medley Relay Team which also set a Games' Record, during which she established a World Record of 1:04.78 seconds as well. Leslie Cliff of Canada won two gold medals, in the 200 m individual Medley and the 400 m individual Medley. Team-mate Becky Smith became the fourth member of her famous Swimming family to compete for Canada in the Games [the new Don Smith Pool for the XI Commonwealth Games in Edmonton is named after her father] and won a Relay gold medal and two silver medals in individual events. Canadian Gail Amundrud won two Relay gold medals, plus a silver and bronze medal in Individual events.

In the Badminton competition, players from England won four of the five events. The exception was the Men's Singles, which was won by Punch Gunulan of Malaysia; with Jamie Paulson of Canada this time taking the silver medal. Gillian Gilks (neé Perrin) achieved all possible gold medals by winning in the Women's Singles, Women's Doubles, and the Mixed Doubles events. In Bowls, David Bryant of England became the most successful Lawn Bowler in Games' history by winning the Singles for the third successive time. He had also won a gold medal in fours competition in 1962. The local New Zealand Team won the 1974 Fours event, and gained a bronze medal in the Pairs, which event was won by Scotland. Again, the black African nations did well in Boxing. Nigeria and Uganda won two gold medals each, with single gold medals going to Kenya and Zambia. England was the most successful individual nation, however, with three Boxing gold medals. But the most significant pleasure was expressed when Frankie Lucas won the Middleweight division and so gained the first gold medal for St. Vincent. Supremacy in the seven Cycling events was hotly-disputed between Australian and English competitors. When all the races had been completed, England had four gold medals to Australia's three, but Australian Cyclists had gained a combined total of nine medals against the eight achieved by the English Cyclists. New Games' Records were established in the 1000 m Sprint, Tandem Sprint, and 4000 m Team Pursuit events. Shooting returned to the Games at Christchurch, with six individual events being contested. The Canadian Team was the most successful, winning four gold medals (each won by a different shooter) and one silver. Two women, one from Jersy and another from Kenya, had competed with the men in shooting at Jamaica in 1966, but had failed to place. In 1974, however, Australian Yvonne Gowland won the small Bore (.22 Rifle) competition with a new Games' Record, beating a Welshman and Scotsman into second and third place respectively.

Ten nations shared in the more equitable Weightlifting honours, with Austalia and England each gaining three gold medals. Precious McKenzie and George Newton, both of England, each won their third gold medals in Games' Weightlifting competition. Paul Wallwork achieved the first silver medal of W. Samoa in the Light Heavyweight division. Russell Prior of Canada repeated his gold medal victory of 1970 in the Heavyweight division; and established Games' Records in the Snatch, Jerk and Total which exceeded those in Super-Heavyweight category at the 1974 Games! In Wrestling:

> India won four gold medals, five silver and one bronze. Canada took five gold medals, one silver and two bronze. England won three silver, New Zealand one gold and two bronze, Australia one silver and three bronze, and Scotland won two bronze medals. This is a good indication of the closeness of the competition.

Unfortunately, Pakistan did not compete at all in the 1974 Games, an absence which was especially noticeable and regretted in the Wrestling competition.

And there would be a notable 'absentee' in the title of the next Games to be held in Edmonton; it was decided at Christchurch to omit the word "British" in future celebrations. So Canada, which had hosted the "First British Empire Games" in 1930, and the "Fifth British Empire and Commonwealth Games" in 1954, would now become the only country to have hosted these unique festivals on three occasions, and be the first to do so under their new, simple title of "The Commonwealth Games". In the meantime, the successful Tenth Games at Christchurch, New Zealand, were laid to rest with the usual "high-spirited celebration" which is now regarded as synonymous with "the Friendly Games", and symbolic of their inherent spirit.

EPILOGUE AND PROGNOSIS

And so on to Edmonton, Canada, for the XI Commonwealth Games . . . The story of these XI Games can only be written *after* the event has taken place; but at the time of writing there is ample justification in the recent statement by The Honourable (Mrs.) Iona Campagnolo, Canadian Minister of State for Fitness and Amateur Sport, that: "It is an undisputable truth that we stand poised for the greatest Commonwealth Games ever staged". A record number of 48 countries have accepted invitations to participate, to date, represented by more than 1500 athletes. There has been tremendous cooperation between all levels of government—federal, provincial, and municipal—as well as encouraging support from the private sector, which has resulted in an investment of more than $40 million in the Games. Without doubt, the XI Commonwealth Games will have the finest facilities ever used in their history. The popular sport of gymnastics will be featured for the first time, also, and is already nearly sold out. And the organizers have survived the severe political test of a threatened boycott of the XI Games by African nations, over the simmering issue of sporting contacts with South Africa (it will be recalled that several African nations staged a last-minute walk-out from the 1976 Olympic Games over the *apartheid* issue). As Baka and Hoy recently summarized:

> The proposed boycott of the 1978 Games reflects a solidarity among African nations. On the other hand the various political issues and problems appear to have been overcome for the present as the 1978 Commonwealth Games gear towards their eleventh production in Edmonton. In this regard Canada played an important leadership role in preserving both this major international sports festival and perhaps the viability of the Commonwealth itself.

In conclusion, while there are many challenges ahead which will reflect the changing place of the Commonwealth among the family of all nations, there is reason to believe that the XI Commonwealth Games Canada (1978) Foundation, under the firm leadership of Dr. M. L. Van Vliet, will not only maintain the magnificent tradition of the past, but enhance it.

Gerald Redmond
University of Alberta

SELECTED BIBLIOGRAPHY

Agbogun, J. B. *A History of the British Commonwealth Games: 1930-1966.* M.A. thesis, University of Alberta, 1970.

Arlott, J. (ed.) *The Oxford Companion to Sports and Games.* London: Oxford University Press, 1975.

Baka, R. and Hoy, D. Political Aspects of Canadian Participation in the Commonwealth Games: 1930-1978. *CAHPER Journal*, Vol. 44, No. 4, March - April, 1978.

Bielz, M. Commonwealth Games analyzed. *Champion*, Vol. 2, No. 2, May, 1978.

Canada's Part in the 1970 British Commonwealth Games, Edinburgh, July 16-25. Montreal: Official Report of the British Empire and Commonwealth Games Association of Canada, 1970.

Cooper, J. Astley. An Anglo-Saxon Olympiad. *The Nineteenth Century*, XXXII, September, 1892.

The Pan-Brittanic Gathering. *The Nineteenth Century*, XXIV, July, 1893.

The Olympic Games: What Has Been Done and What Remains to be Done. *The Nineteenth Century*, LXIII, June, 1908.

Griffiths, A. and Redmond, G. Games Perspective. *A Series of Fifteen Articles in the Edmonton Journal, January 17 to July 17, 1978.*

A Historical Record of the Games Leading up to the Commonwealth Games of 1978. Edmonton: History Committee of The XI Commonwealth Games Canada (1978) Foundation, 1978.

Jackson, J.J. Vancouver 1954: "The Miracle Mile" Games. *CAHPER Journal*, Vol. 44, No. 4, March - April, 1978.

McLaughlin, M. Hamilton Hosts The First British Empire Games: August 23 to August 30, 1930. *CAHPER Journal* Vol. 44, No. 4, March - April, 1978.

Mandell, R.D. *The First Modern Olympics.* Los Angeles: University of California Press, 1976.

McWhirter, N. and R. (eds.). *Guinness Book of British Empire and Commonwealth Games Records.* London: Guinness Superlatives Ltd., 1966.

Official Souvenir Book: XI Commonwealth Games, Edmonton 1978 Canada.

Redmond, G. *The Caledonian Games in Nineteenth-Century America.* Rutherford: Fairleigh Dickinson University Press, 1971.

Schrodt, B. Canadian Women at the Commonwealth Games: 1930-1974. *CAHPER Journal*, Vol. 44, No. 4, March-April, 1978.

Technical Handbook: XI Commonwealth Games, Edmonton, 1978.

The Times, October 30, 1891.

Wallenchinsky, D., Wallace, I and Wallace A. *The Book of Lists.* New York: William Morrow and Company, 1977.

The Year of the Games: XI Commonwealth Games, Edmonton 1978. *Edmonton Journal*, January 17, 1978.

Edmonton: ville~hôte

Les démarches entreprises en vue d'obtenir les XIe Jeux du Commonwealth pour la ville d'Edmonton furent pour moi une expérience qui, tout en étant enrichissante, m'a beaucoup rabaissé l'orgueil. Je crois que c'était ainsi pour les quelques 27 autres enthousiastes venus d'Edmonton qui ont participé à ce projet sans pareil aux Jeux Olympiques de Munich en 1972.

Soutenus par les souhaits réticents de la plupart des citoyens d'Edmonton, et appuyés par le Conseil de Ville, les deux gouvernements, et l'Association des Jeux du Commonwealth du Canada, nous nous sommes rendus a ce beau site bavarois pour tenter de faire connaître la ville d'Edmonton, sans toutefois croire que cela était vraiment nécessaire.

Nous étions certains que la découverte du pétrole en 1947, à Leduc, situé à 18 milles au sud-ouest de la capitale albertaine, avait donné à cette ville une certaine renommée internationale. (A bien y penser, je crois que la raison principale des démarches était de prouver aux autres canadiens et aux pays membres de Commonwealth que la ville d'Edmonton, cette communauté très active, était prête à tout, même à entreprendre un projet d'aussi grande envergure que celui des Jeux du Commonwealth.)

Guidés par l'ex-maire d'Edmonton, M. Ivor Dent, le Docteur Maury Van Vliet (Président de la Fondation des XIe Jeux du Commonwealth et Comité organisateur depuis 1975), et par l'honorable Horst Schmid, Ministre albertain des Services Gouvernementaux et des Affaires Culturelles et avide défenseur des Jeux à Edmonton, nous sommes partis sachant que notre tâche à Munich ne serait pas des plus faciles.

Je peux maintenant vous raconter une anecdote qui est demeurée secrète jusqu'à présent. A leur départ pour Munich une journée avant l'équipe principale, le Docteur Dent et son groupe n'avaient pas le document essentiel à leurs démarches. Ils étaient déjà arrivés a Munich quand, au cours d'une conversation téléphonique de Montréal, le Colonel Jack Davies, "M. Jeux du Commonwealth" au Canada, m'a dit, tout à fait par hasard, que si les représentants de la ville d'Edmonton réussiraient dans leurs démarches à Munich, il faudrait fournir un certificat d'inscription légal attestant que la Fondation était une association ou une société de bienfaisance à but non-lucratif. Ce certificat n'avait pas été obtenu car on ignorait sa nécessité. Nous avons sûrement battu tous les records pour circonvenir le système bureaucratique, et l'inscription de notre fondation a été faite dans une journée. Quatre fonctionnaires de la Ville, soit—Tony Konye, Ken Kuchinski, Ian Archibald, et moi-même—avons autorisé le document une heure seulement avant notre départ. Nous étions donc les seuls membres de la Fondation pendant deux mois, jusqu'à ce qu'un

Président et un comité de direction soient nommés. En mesure de précaution, nous nous sommes assurés qu'un procès-verbal officiel de nos réunions ait été gardé.

Le comité organisateur des Jeux avait décidé qu'aucun argent contribué ne serait dépensé dans notre tentative d'obtenir les Jeux de 1978. C'est ainsi que sans l'appui des contribuables, nous avons dû recourir, non sans difficultés, a d'autres ressources. Le Conseil de la Ville avait accordé un octroi de $30,000 pour étudier la possibilité d'avoir les Jeux à Edmonton, présenter l'offre au comité des Jeux à Montréal et préparer deux "Livres d'Invitation" qui devaient être imprimés en quatre couleurs.

Au printemps de 1972, quatre membres du comité des Jeux, soit Al Neils, Ken Kuchinski, le conseiller Dave Ward, et Tony Thibaudeau, ont procuré $30,000 en contributions offertes par 5,000 individus. La moyenne des contributions fut de $6 puisque les dons étaient de un, deux, cinq, dix, et même $20. Le Club de Football "Edmonton Eskimos", l'Association de l'Exposition d'Edmonton, ainsi que le gouvernement albertain, ont ajouté $30,000 à ce fonds. C'est ainsi que la campagne de souscriptions a réuni un total de $60,000.

Nous avons donc pu rembourser le Conseil de Ville avant notre départ pour 'Munich, mais nos ressources ne nous permettaient pas de prolonger notre séjour plus longtemps que nécessaire. Nous avions un travail à faire, et ce travail devait s'accomplir avant que les représentants des 44 nations siègent a l'Assemblée de la Fédération des Jeux du Commonwealth le 24 août au soir pour entendre les présentations et accorder les Jeux de 1978 soit a la ville d'Edmonton ou a la ville de Leeds.

Les 28 délégués d'Edmonton devaient, en trois jours, identifier, situer, et intercéder personnellement auprès des 276 fonctionnaires des sports et des gouvernements du Commonwealth, c'est à dire, tous ceux qui avaient droit de vote ou qui pouvaient influencer les votes et qui étaient dispersés a travers Munich, cette ville surpeuplée et bouleversée par les Jeux Olympiques.

En raison de notre budget restreint, nous étions obligés d'habiter une clinique privée et de travailler dans un petit bureau d'hôtel du centre-ville. Il fallait donc travailler en équipe. Ainsi nous avons formé six groupes composés de quatre personnes chacun. Chaque équipe devait interviewer 46 personnes, soit 3 personnes par heure aux cours des trois journées de 15 heures chacune que j'avais plannifiées a titre de coordinateur de la délégation. Afin de pouvoir juger de notre position auprès des électeurs, nous tenions une réunion plénière chaque soir.

Le résultat du vote prouva que notre système avait bien fonctionné et que nos prévisions avaient été précises.

Les sessions plénières étaient démoralisantes pour les délégués d'Edmonton, cette ville en pleine croissance. Semblait-il que seuls les albertains connaissaient la ville d'Edmonton. Elle n'avait aucune renommée mondiale ni même de par le Commonwealth. Les 28 prôneurs d'Edmonton, qui croyaient que leur ville natale était célèbre, ne pouvaient presque pas trouver dans la grande famille du Commonwealth, des confrères qui connaissaient l'emplacement géographique d'Edmonton.

Les questions le plus souvent posées à nos délégués étaient: "Où est Edmonton?" et "Qu'est-ce que c'est Edmonton?"

Les quelques personnes qui savaient que nous étions canadiens croyaient, pour la plupart, que Edmonton était situé aux dernières frontières, dans un pays sauvage, tout près ou au-dessus du cercle arctique. D'autres croyaient que cette ville était située en banlieue de Montréal ou de Toronto. Plusieurs personnes ont même demandé s'il y avait a Edmonton un système d'eau courante et de plomberie intérieure. Un autre insista que Edmonton ne pouvait pas accueillir les "Jeux" puisqu'il faudrait transporter quotidiennement et par avion, le ravitaillement nécessaire aux 3,000 athletes et fonctionnaires. Encore un autre insista qu'il neigeait en août à Edmonton, et cet individu ne plaisantait pas.

Les renseignements que nous leur avons fournis au sujet de la neige, des conforts modernes, et de la nourriture ont dû être satisfaisants, et l'efficacité incomparable de notre délégation a dû être respectée puisque l'Assemblée, par un suffrage de 34 à 10, a voté en faveur d'"'Edmonton '78''.

Parlons un peu maintenant d'Edmonton.

Située a 53°35'' de latitude ouest et 113°30'' de longitude nord, Edmonton est au centre physique de la quatrième plus grande province du Canada, et elle en est aussi la ville capitale avec un des plus grands centres métropolitains.

La vallée de la rivière Nord-Saskatchewan offre un site tout à fait pittoresque à Edmonton. Ses 600,000 habitants sont fiers des 1,100 acres de parcs et d'espaces verts, soit deux fois plus que la moyenne per capita des autres villes du Canada. Les terrains qui l'entourent sont fertiles à perte de vue car, les grandes prairies canadiennes se rejoignent à l'est, au sud, et même au nord.

En 1795, William Tominson, un employé de la "Company of Gentlemen Adventurers Trading" de la baie d'Hudson a établi cette ville comme une station de commerce de fourrures, en raison de son emplacement stratégique. Il la nomma d'après un comté à Londres.

Le fort commanda le commerce de fourrures du nord-ouest pendant 80 ans. L'on y passait pour se rendre à l'ouest à travers les majestueuses montagnes rocheuses, à l'est par les rivières qui conduisaient à la baie

Ville d'Edmonton — 1908

d'Hudson et, à Montréal, par les Grands Lacs. Ce fort était aussi le point de départ logique pour le voyage ardu par voie terrestre à Athabsca Landing et aux grandes rivières du nord menant à la côte arctique: l'Athabasca, le Mackenzie, et la rivière la Paix.

La première route conduisant à Fort Vancouver qui passait tout près de Fort Edmonton avait été établi par David Thompson et, Sir Alexander Mackenzie, le premier homme blanc à traverser l'Amérique du Nord par voie terrestre, passa à Fort Edmonton en route pour le col du Yellowhead. Ce fort dominait aussi le riche commerce du sud, même jusqu'à l'Orégon, pour plusieurs années après l'expédition de Lewis et Clark.

Le déplacement constant des castors, gagne-pain principal des commerçants de fourrures, les dangers d'innondation, et la crainte des attaques indiennes ont été cause des nombreux déménagements du fort pendant plus de trente ans. En effet, le fort fut resitué dans huit endroits différents le long de la rive.

Le premier site était à 25 milles de la ville actuelle, soit près de Fort Saskatchewan. Deux des forts les plus importants furent érigés sur les Rossdale Flats, et le dernier et plus permanent fut construit en 1827 par l'intendant John Rowan à l'endroit où est situé le Palais législatif actuel. C'est ce même fort qui fut reconstruit au Parc Fort Edmonton, il y a quelques années, grâce à la pré-

voyance et au patriotisme d'un fonctionnaire qui avait démantelé, numéroté, et entreposé les rondins pendant la deuxième guerre mondiale.

Les nombreux déplacements du fort étaient remarquables car, cette région sauvage ne connaissait que les canoës, les bateaux York, les poneys, et les mulets jusqu'en 1861, date où le Père Lacombe introduisait la charrette de la Rivière Rouge.

La compagnie de la baie d'Hudson à qui, en raison de sa chartre, appartenait toutes les terres drainées par les fleuves tributaires de la baie, ne permettait aucun établissement à l'extérieur du fort. Ce n'était qu'au milieu du siècle que la compagnie permit à quelques commerçants de fourrures qui étaient déjà à la retraite, de s'installer sur quelques lopins de terre. Leurs nombres furent augmentés par l'arrivée des "Overlanders" déçus par les régions aurifères du Cariboo. Ces derniers espéraient tenter leurs chances dans les graviers de la rivière Nord-Saskatchewan. Cette ruée vers l'or à Edmonton fut de plus courte durée que celle du Cariboo. Chose curieuse, il est encore possible de trouver de l'or sur ces mêmes rives.

Ces vagues de prospérité suivies de périodes de dépression économique durèrent environ 150 ans pour se terminer lors de la découverte du pétrole à Leduc en 1947.

En 1870, le gouvernement canadien racheta à la compagnie de la baie d'Hudson

les vastes territoires qu'elle détenait. Cette transaction annonça la démise des marchands de fourrures. L'année suivante, le navire à vapeur Northcote transportait de nombreux pionniers aux terres fertiles. Cette même année, une centaine de fermiers installés près du fort s'unissaient pour former un village dans les Territoires du Nord-Ouest.

La construction de la ligne ferroviaire du Canadien Pacifique entre Calgary et Edmonton en 1892 permit à de nouveaux pionniers de venir s'y installer. C'est ainsi que Edmonton devint une ville de 300 habitants. Des centaines de personnes en route pour les régions du Klondike durent retourner à Edmonton à cause des difficultés rencontrées en cours de route. C'est ainsi qu'en 1898 le nombre d'habitants à Edmonton s'élevait à 3,000.

Edmonton a obtenu sa chartre à titre de ville en 1904, un an avant que l'Alberta soit admise dans la Confédération canadienne. Elle en fut nommée la ville capitale. A ce moment là, elle comptait une population de 5,000. Sept ans plus tard, en 1912, les villes de Strathcona et d'Edmonton s'amalgamaient et une deuxième installation de la voie ferrée, celle du Canadien National, permettait à des centaines d'immigrants de venir s 'y installer.

Cette vague de prospérité et de spéculation se termina en 1914. Une deuxième vague, apportée par l'exploration minière, se termina en 1930, année de la crise économi-

Equipe de Fusile Strathcona: League Manitoba — Nord Ouest 1891

que. Mais avant cette crise, Edmonton avait inauguré le premier aéroport municipal du Canada, Blatchford Field, sur le terrain où se trouve l'aéroport municipal actuel. Dès lors, Edmonton serait reconnue comme le centre des ''bus pilots'' qui ont rendu le Grand Nord accessible aux pionniers.

Pendant la grande crise économique, la ville d'Edmonton fut obligée de reposséder 70,000 terrains dont les propriétaires ne pouvaient ou ne voulaient pas payer les impôts municipaux. Cependant la guerre de 1939 et la décision du gouvernement américain, en 1942, de construire la route de l'Alaska ayant Edmonton comme point de départ furent cause d'une nouvelle vague de prospérité qui, en raison des conditions energétiques actuelles, semble être sans bornes. En effet, Edmonton, en plus d'être située à proximité des riches nappes de pétrole et de gaz naturel et des gisements de charbon, sert aussi de centre d'approvisionnement pour les développements des sables bitumineux de l'Athabasca et le gazoduc de l'Alaska qui sera construit au coût de 10 milliards de dollars.

La population d'Edmonton croît à un taux annuel de plus de 2% et atteindra un million avant l'an 2000. Plus de cinquante groupes ethniques vivent en harmonie dans cette ville.

Plus de 60% de ses citoyens sont âgés de 34 ans ou moins. Les nombreuses possibilités d'emploi attirent une main-d'oueuvre spécialisée venant de tous les coins du Canada. Le taux de chômage de moins de 4% est en dessous de la moyenne nationale.

Cette ville en plein essor économique fabrique des produits d'une valeur de plus de 3,000,000 de dollars par année. En dépit de l'exploitation du pétrole brut et des autres richesses minières, les produits agricoles demeurent la source principale de revenus.

La vente de marchandises au détail se chiffre à 4 milliards de dollars par année et l'index dex prix aux consommateurs se maintient au dessous de la moyenne nationale. A Edmonton il y a un véhicule pour chaque 1.6 résidents.

La moyenne de revenu net par personne se chiffre à $6,500 par année et les citoyens d'Edmonton gagnent plus de 40% des sept milliards de dollars des salaires payés par les détaillants et manufacturiers de la province.

Plus de 80% des puits de gaz naturel et de pétrole en production sont situés à moins de 160km. de la Ville qui sert également de point de départ pour les 15,000 milles de gazoducs et d'oléoducs à destination de Sarnia et de Montréal. Le prochain projet est la construction du gazoduc d'Alaska.

Les réserves estimées de pétrole des sables bitumineux canalisés à Edmonton représentent plus de la moitié des réserves mondiales du pétrole brut.

L'Alberta possède 14% des réserves pétrolières mondiales et la plupart sont situées à proximité d'Edmonton. De plus, 75% de la production pétrolière destinée à l'exportation et à l'alimentation des centrales thermiques se fait près de la Ville. Douze nouvelles stations génératrices d'électricité sont projetées et seront installées ainsi que des nouvelles centrales hydro-électriques sur les rivières du nord de la province.

Selon les prévisions établies par le gouvernement provincial, l'industrie forestiere assurera 24% des emplois futurs. Encore une fois, Edmonton sera favorisée car, les réserves principales ont situées au nord et à l'ouest de la Ville.

Quatre routes principales convergent à Edmonton: à l'est et à l'ouest, la route Yellowhead; au sud, la route N° 2 et, au nord, les routes Alaska et Mackenzie.

Edmonton compte quatre aéroports, y inclus l'aéroport municipal d'Edmonton qui est le plus achalandé et qui sert de point de départ pour les vols affrétés et les services destinés au nord.

Six lignes ferroviaires desservent Edmonton. Des aciéries florissantes ainsi qu'une industrie pétro-chimique évaluée à plus d'un milliard de dollars y sont installés.

Bien que Edmonton soit le principal centre de raffinage de l'ouest, elle a réussi à garder le niveau de pollution à un degré supportable.

Chacune des quatre saisons a un climat distinctif. Pendant les mois d'été, la température moyenne s'élève à 70° F. et les soirs sont long et frais. En juin, il fait jour pendant 16 heures. Janvier est le mois le plus froid (température moyenne de - 10° F) mais le printemps et l'automne sont doux et agréables. Il y a une moyenne de six heures de soleil par jour, moyenne la plus élevée du Canada.

Il tombe une moyenne de 140cm. de neige par hiver, condition idéale pour les amateurs de sports d'hiver.

Edmonton compte 148 écoles publiques, 84 écoles séparées (ou l'on enseigne le français, l'anglais et l'ukrainien), 10 collèges ainsi que l'Université d'Alberta, la troisième plus grande du pays, ou plus de 20,000 étudiants y sont inscrits.

A cause de ses nombreux parcs et espaces verts, Edmonton fut la première ville canadienne à se mériter le titre de "Green Survival City", titre accordé seulement à 11 villes nord-américaines.

Edmonton est fier de ses 176 patinoires, 14 terrains de golf, 17 salles de curling, 15 centres aquatiques, 12 centres publiques de tennis et de nombreux parcs et terrains de pique-nique.

Cette année on y ajoute le Stade du Commonwealth qui peut accueillir 42,500 spectateurs, le centre aquatique Kinsmen qui comprend 4 piscines et qui fut construit à coût de 8,500,000 dollars, le boulodrome Coronation, le champ de Tir de Strathcona, et le vélodrome Argyll. Ces installations d'une valeur de 36 millions de dollars appartiendront à la Ville après les XIᵉ Jeux du Commonwealth.

L'Alberta Game Farm et le parc national Elk Island à proximité d'Edmonton sont des centres touristiques intéressants. Une cinquantaine de lacs situés à moins de 160km de la Ville sont des lieux magnifiques pour les amateurs de pêche et de chasse.

Edmonton se vante de ses équipes professionnelles de football et de soccer ainsi que de ses nombreux clubs de sports amateurs. En effet, l'on peut participer à plus de 50 différents sports. C'est par les ligues communautaires et le grand dévouement des citoyens que la Ville d'Edmonton a réussi à organiser tant d'activités destinées principalement aux jeunes.

Parmi les attraits culturels d'Edmonton, on y trouve cinq troupes de théâtre, une société d'opéra, un orchestre symphonique, plusieurs galeries d'art ainsi que des bibliothèques et des musées.

Les services sociaux ainsi que les 14 hôpitaux sont à la portée de tous. Le service de transport publique est en plein essor; en effet, l'inauguration du système de métro en avril dernier a fait d'Edmonton la seule ville ayant moins d'un million d'habitants à avoir tel système.

On y trouve beaucoup de centres commerciaux intérieurs, complétés avec des milliers de petites boutiques non moins intéressantes. Le centre-ville est relié par de nombreux passages à piétons souterrains ou aériens. Il y a également plusieurs restaurants où l'on y mange bien. Edmonton est aussi reconnue pur ses nombreuses églises. Pour les hiboux de nuit, il y a des cabarets et des clubs. On y trouve aussi huit postes de radio et quatre postes de télévision (un poste de radio et un poste de télévision français), et deux compagnies de câblo-vision.

La ville est gouvernée par un maire et douze conseillers représentant quatre circonscriptions ainsi que par un conseil de commissaires. Ses propres systèmes d'eau, d'électricité et de téléphone lui rapportent un revenu annuel de $20,000,000.

Sept mille personnes ont offert volontairement leurs services pour les XIᵉ Jeux du Commonwealth l'été dernier. Leur grande générosité et leur dévouement ont contribué à faire de ces Jeux "les meilleurs jusqu'à présent".

Si les visiteurs en étaient surpris, les citoyens d'Edmonton n'en étaient guère. Si l'on ignorait l'existence d'Edmonton à Munich en 1972, on ne l'oubliera pas après les Jeux de '78. Edmonton est devenue une ville très célèbre alors qu'un milliard de personnes ont entendu parler des Jeux ou y ont assisté.

Les volontaires et le petit personnel salarié ont mené à bonne fin le projet qui n'était qu'un rêve en 1969.

Un amateur de sports et directeur d'école, Alex Romaniuk, le Docteur Maury Van Vliet, président du comité organisateur, le Docteur Ivor Dent et moi-même, furent les instigateurs des Jeux à Edmonton. Aidés de Ron Ferguson et Ron Meade, employés du service des parcs et des loisirs, Geoff Elliott de l'Université d'Alberta, le commissaire George Hughes et le Conseil de Ville, notre premier succès fut la nomination en 1972 de Edmonton comme ville-hôte du Canada par l'Association canadienne des Jeux du Commonwealth. Notre deuxième succès fut celui à Munich. Le troisième et, probablement le plus important, fut celui qui couronna les efforts d'un groupe de volontaires animé par Lyall Roper. Grâce au travail ardu de ce groupe, 76% des citoyens ont approuvé, par voix de référendum, les dépenses nécessaires à l'installation des sites pour les Jeux.

Il était maintenant temps de remettre le tout entre les mains d'un conseil d'administration déjà nommé, d'un personnel recruté par le directeur-général Don McColl, et de tous les volontaires dévoués.

Nous qui étions les premiers, nous les saluons. Nous n'aurions jamais pu réaliser un projet de telle envergure sans leur coopération et leur dévouement. Notre seule et meilleure récompense, et la leur, est le succès des XIᵉ Jeux du Commonwealth à Edmonton et la renommée mondiale qu'ils ont donné à cette ville.

Historique des Jeux
du Commonwealth

Les festivals de sport ont composé une partie intégrante de notre histoire culturelle pour près de quatre mille ans. Les Jeux de Tailtin de l'ancienne Irlande, de plus longue durée de tous, ont débuté vers l'an 2000 avant J.-C. et ont survécu jusqu'au douzième siècle après J.-C. Un genre de Jeux Funéraires de l'ancienne Grèce (tels que décrits par Homère au vingt-troisième livre de l'*Iliad*) ont donné lieu aux plus célèbres Jeux Olympiques, traditionnellement cités comme ayant commencé en 776 anvant J.-C. et terminé en 394 après J.-C.

En ce qui est du monde moderne, ce fut le Baron de Coubertin qui fonda avec succès les Jeux Olympiques modernes après plusieurs reprises ''pseudo-Olympiques'' par des entrepreneurs sportifs tels que les anglais Robert Dover et W.P. Brookes, le Grec Evangelios Lappas et même, par les autorités de la ville de Montréal en 1844. Les premiers Jeux du Baron furent célèbres à Athènes en 1896 et continuent comme les plus grands festivals de tout temps. L'inspiration du Baron de Coubertin est ressortie du culte d'athlétisme prédominant dans les écoles publiques d'Angleterre. Ce culte fut un des facteurs que le Baron (entre autres) croyait voir proportionner une contribution signifiante au développement couronné de succès du vaste Empire Britannique, alors à son apogée.

En effet, vu le status de la Grande Bretagne d'alors, ses traditions sportives sans pareilles et reconnues, il ne nous sera du tout surprenant, en jettant un coup d'oeil rétrospectif, de trouver un anglais, J. Astley Cooper, engagé dans la publicité d'un genre d' ''Olympiade Anglo-Saxonne'' dès 1891, c'est à dire, cinq ans avant les Olympiques du Baron. Premièrement, il préconcisa cette idée dans un article de la revue *Greater Britain*, suivi d'une lettre au journal *The Times* (le 30 octobre, 1891) et donna suite avec des articles intitulés ''An Anglo-Saxon Olympiad'' (Une Olympiade anglo-saxonne) et ''The Pan-Britannic Gathering'' (Le rassemblement panbritannique) dans la revue *Nineteenth-Century* (septembre 1892 et juillet 1893). L'historien, Richard Mandell a démontré que:

> . . . de toute façon, J. Astley Cooper avait un problème qui deviendrait des plus familiers à plusieurs des instigateurs d'athlétisme amateur à suivre. La plus grande difficulté que rencontrait Cooper n'était pas la définition de ''l'amateur'', mot qui cause toujours des problèmes, mais la décision de laisser savoir qui appartenait à ''la race anglo-saxonne''. Bien que ses Jeux devaient comprendre des évènements pratiqués avec régularité par les anglais, américains et ''coloniaux'', sa conception du festival était telle que

seuls les blancs et bien-nés pouvaient y participer.

Les propositions d'unification un peu byzantines de Cooper, engageant trois secteurs — industriel, intellectuel et athlétique des nations de langue anglaise, y compris les Etats-Unis — ont provoqué de l'intérêt et discussions mais s'écroulèrent à la suite du progrès vers un festival plus démocratique et international dont comptait le Baron de Coubertin. Pour une lecture personnelle de la chute des projets irréalisés de Cooper, voyez son article ''Les Jeux Olympiques: ce qui a été fait et ce qui reste à faire'', publié ''post mortem'' dans la revue *Nineteenth-Century* (juin, 1906). Dans cet article on voit qu'il ''était raciste d'un ton bourru''; il appelle les Jeux Olympiques d'Athène de 1896 ''un hybride, un rassemblage de babel''. Il serait intéressant de voir comment ce fils de Vénérable aurait décrit les Jeux du Commonwealth d'aujourd'hui qui comptent avec plusieurs races. De toute manière, même s'il est archi-évident que l'exemple à suivre de la part de personne (s) ou nation (s) qui essaient d'inaugurer un autre festival de sports de n'importe quel genre soit proportionné par l'entreprise de succes complet du Baron de Coubertin, une influence durable et de grande portée dans l'histoire des Jeux du Commonwealth peut être retracée aux proposés de Cooper. Ceci fut signalé par un étudiant nigérien du Département d'Education Physique de l'Université d'Alberta, Jacob Agbogun, qui écrivit une thèse de maitrise en 1970 intitulée: *A History of the Commonwealth Games: 1930 - 1966* (L'histoire des Jeux du Commonwealth: 1930 - 1966). Agbogun a fait l'observation suivante: ''Même si rien n'aboutit tout de suite après les propositions de Cooper, le germe de l'idée avait été semé dans un terrain fertile''. Ce ''terrain fertile'', manifesté par Richard Coombes, fut l'Australie.

Lorsque Richard Coombes fut nommé Président de l'Association australienne d'athlétisme amateur, il réagit vivement en faveur des propositions faites par Cooper en 1891. Vingt ans plus tard (et trois ans après le commentaire irritable de Cooper sur les Olympiques de 1908) Coombes s'est retrouvé directeur de l'équipe australisienne qui faisait des compétitions dans une ''Réunion sportive inter-Empire'' à Londres. Cette ''réunion'' faisait partie du ''Festival de l'Empire'', monté pour célébrer le couronnement de George V. Des équipes représentant l'Australasie (Australie, Nouvelle-Zélande et la Tasmanie), le Canada, l'Afrique du Sud et le Royaume-Uni, participaient dans un total de neuf évènements: cinq d'athlétisme, deux en natation, un de boxe et un d'haltérophilie. L'équipe canadienne fut la gagnante d'ensemble (par un seul point) et fut pré-

sentée avec la coupe Earl of Lonsdale (30 pouces de hauteur et pesant 340 oz. en argent). Cette victoire peut être vue comme un présage de bon augure puisqu'en majorité, ce fut l'initiative de quelques canadiens qui transforma l'espérance de monter un festival sportif, dans l'Empire Britannique avec régularité, en réalité. Tout de même, de sa position de prestige, l'australien Richard Coombes, pendant plusieurs années après 1911, a ''continuellement attiré l'attention à la valeur d'un rassemblement sportif de l'Empire''.

Après la première guerre mondiale et à la suite des Jeux Olympiques d'Anvers en 1920, une compétition d'athlétisme eut lieu entre les équipes de l'Empire Britannique et celles des Etats-Unis à Londres dans le Queen's Club. Un concours semblable fut tenu après les Olympiques de Paris en 1924, mais cette fois à Stamford Bridge, Londres. A l'époque, plusieurs voix se soulevèrent en faveur de l'établissement ''des Jeux pour l'Empire Britannique uniquement, établis selon la mode des Jeux Olympiques modernes''.

Pendant la réunion annuelle de l'Union d'athlétisme amateur du Canada et après avoir passé dix-neuf ans comme Secrétaire National, M. Norton H. Crowe dit, à l'occasion de son discours d'adieu:

> Je voudrais vous conseiller, vous les membres de cette Union, de prendre l'initiative dans tous les Jeux de l'Empire Britannique qui auront lieu entre les Jeux Olympiques.

A la suite, l'Union approuva la résolution suivante: Que le Comité Canadien des Olympiques ''soit demandé de considérer ce conseil de l'établissement de tout JEUX DE L'EMPIRE BRITANNIQUE''.

Avant les Jeux Olympiques d'Amsterdam en 1928, John H. Crocker, alors président de l'UAA du Canada, obtint l'appui de M.M. (Bobby) Robinson afin de mettre en oeuvre la proposition antérieure de M. Crowe. A cette époque, Robinson était un jeune chroniqueur sportif à Hamilton en Ontario et, de plus, directeur de l'équipe d'athlétisme canadien des Olympiques. A la suite d'encouragements de la part de Crocker et muni de l'autorisation des autorités civiles de Hamilton, Robinson présenta la proposition suivante aux représentants des autres pays de l'Empire pendant les réunions à Amsterdam et ensuite à Londres: monter les Premiers Jeux de l'Empire Britannique à Hamilton. Des inquiétudes telles que le conflit possible avec les Jeux Olympiques et les dépenses de transport dans le vaste Empire qui d'ailleurs, menaçaient de faire opposition au projet

d'ensemble, furent exprimées pendant et
après ces réunions. Tout de même, l'on voyait
quelques signes positifs. De toute façon,
Robinson, armé avec le gage généreux de la
Ville de Hamilton — logement gratis pour
tous les athlètes et concessions de voyage
pour les pays qui en dépendaient-, retourna
en Angleterre et, après des semaines entières
de négociations, ses efforts tenaces ont été
récompensés. Le roi George V accepta la
position de Protecteur des Jeux, le Comte de
Derby en est devenu le Directeur, Monsieur
(Sir) James Leighwood — Président, et le
Vicomte Willingdon, Gouverneur-général du
Canada, fut nommé Président honoraire.
Depuis ce temps, les jeux de 1930 à Hamilton
ont été reconnus comme premiers dans une
série de Jeux qui nous amenèrent aux XIᵉ
Jeux du Commonwealth à Edmonton en
1978. Bobby Robinson a été reconnu comme
étant leur ''premier'' fondateur réel.

L'on peut maintenant voir que, à part la
dépression économique mondiale, d'autres
circonstances furent finalement jointes afin
de produire l'inauguration de tels Jeux. Afin
de voir la réussite de ce projet, le distingué
John Crocker avait encore une fois démontré
sa perspicacité en choisissant l'infatigable
Bobby Robinson comme point d'appui. Il
serait faux de croire que les Jeux du Commonwealth d'aujourd'hui ''viennent avant
tous les Jeux internationaux'' puisque, à part
les Jeux Olympiques de 1896, Crocker était
aussi engagé dans l'organisation des premiers
Jeux de Championnat de l'Extrême-Orient en
1912/13; les pays qui y participèrent furent
la Chine, le Japon et les Phillipines. De plus,
les premiers Jeux d'athlétisme des Caraïbes
en Amérique Centrale montés dans la Ville de
México, précisément entre les propositions de
l'UAA du Canada (1924 et 1928), proportionnèrent le défi nécessaire: si les communautés asiatiques et caraïbes pouvaient
établir leurs propres Jeux, pourquoi ne pas
avoir des Jeux pour les pays-membres de
l'Empire Britannique? De plus, une
homogénéité athlétique avait été encouragée
à l'intérieur de l'Empire à la suite de la formation d'équipes de l'Empire pour les concours
d'athlétisme post-olympiques contre les
Etats-Unis dans les années 1920, 1924 et
1928. L'occasion de participer dans une
arène internationale sans la présence de la
puissance américaine était beaucoup plus
séduisante puisque dès 1930, les américains
avaient gagné 88 médailles d'or dans les
compétitions d'athlétisme Olympique contre
un total de 30 pour tous les pays de l'Empire
Britannique. De plus, dix-neuf de ces médailles d'or ont été gagnées par des athlètes
représentant la Grande Bretagne; ainsi la proposition raisonable: les pays compris dans le
Royaume-Uni feront compétition *séparé*-
ment dans les nouveaux Jeux de l'Empire Britannique.

Encore une fois, les Jeux Olympiques
furent la force d'impulsion pour les événements du jour, servant de modèle et point de
départ. La déclaration suivante fut faite au
moment où l'organisation des Jeux de
Hamilton fut formellement endossée dans une
réunion à Londres en 1930:

> Les Jeux seront organisés d'après le
> modèle Olympique, soit dans leur
> organisation générale et dans leur
> définition austère de l'amateur. Tout de

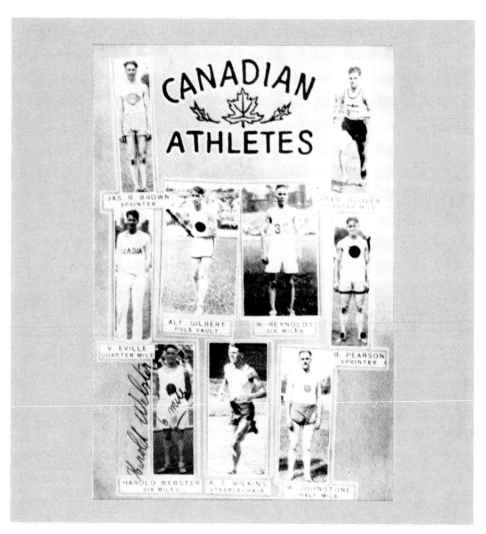

L'Athèlètes Canadienne: d'le premier programme de les Jeux Commonwealth; Hamilton 1930

même, les Jeux seront différents: libres
du stimulus excessif et du brouhaha du
stade international. Ils devraient être
plus joyeux et moins sévères et,
devraient suppléer le stimulus
d'aventure originale pour la pression
de la rivalité internationale.

Voilà une révélation d'une anxiété naturelle,
causée par les problèmes rencontrés dans les
Jeux Olympiques et un engagement vis à vis
les compétitions moins grandioses mais plus
joyeuses de l'avenir.

Les Jeux du Commonwealth, pendant
leurs 48 années d'existence, ont assurément
été ''plus joyeux et moins sévères'' que les
Olympiques mais il faut admettre que les
chances ont été à leur faveur. Les
organisateurs des Jeux du Commonwealth,
aidés de l'unité de la Couronne, n'ont pas eu
à se disputer avec le nombre de participants
ni d'événements et, surtout, il n'existait presqu'aucune frontière linguistique à surmonter
(et, jusqu'alors, aucun Jeux du Commonwealth n'avait été organisé en hiver, ce qui
rendait l'organisation des Olympiques plus
complexe). De toute façon, ils ont mérité
l'étiquette commune de ''Jeux de l'amitié'',

acordée en raison de leur esprit amical qui
prédomina dans les dix Jeux préalables à
1978. Assurément, des difficultés, réflétant
les changements normaux de la famille de
nations jointes au Commonwealth ainsi que
celles du monde entier, ont survenu. Dans les
dernières années d'inter-relations croissantes
entre politique et sport, la coutume est
d'accentuer la nature ''non politique'' des
Jeux du Commonwealth. Déjà, pendant
l'année inaugurale de 1930, quand les
seconds Jeux de l'Empire Britannique ont été
donnés, à titre d'essai, à l'Afrique du Sud, ils
furent éventuellement changés à Londres
(1934) à cause de la ''question de race''.
D'autres difficultés un peu maladroites ont dû
être surmontées dans les années à suivre
(même si l'Afrique du Sud n'a pas participer
depuis 1958). Tout de même, les Jeux du
Commonwealth d'aujourd'hui ont survécu
intacts et en bon état en plus d'être comparés
avantageusement avec les autres festivals
multi-sports internationaux du monde.

Nous ne pouvons prophétiser l'avenir mais
le passé de ces Jeux nous a pourvu de
moments glorieux dans l'histoire du sport.
Ces moments ont été savourés par des millions de personnes de plusieurs pays et ont
eu, comme conséquence, un accroissement

Membres de l'Equip Canadienne (athlétism), Les Jeux de l'Empire Brittanique Londre 1934

de l'amitié de la part des membres d'une plus grande famille. Ce bref chapître ne rend aucune justice à l'histoire globale des Jeux (un compte spécifié est disponible: voyez la bibliographie sélecte). Nous avons cherché à illustrer leur développement, décrire les point centraux et, peut-être, capter un peu de la saveur spéciale de leur fievre.

PREMIERS JEUX DE L'EMPIRE BRITANNIQUE HAMILTON, CANADA, 16 - 23 août, 1930

Quatre cents compétiteurs et 50 officiels représentant 11 pays ont participé aux Premiers Jeux de l'Empire Britannique (Australie, Bermudes, Canada, Angleterre, Guyane (anglaise), Terre Neuve, Nouvelle-Zélande, Irlande du Nord, Ecosse, Afrique du Sud et le Pays de Galles). La Ville de Hamilton a généreusement fait le don de $30,000, versé aux dépenses de voyage de huit équipes de visiteurs (voyage de mer) et a aussi pourvu le logement gratis pour tous les membres des équipes. Les athletes masculins furent logés dans l'école Prince of Wales, attenante au Stade; les athlètes féminines furent logées au centre-ville dans l'hôtel Royal Connaught. Un total de $50,000, destiné à l'envoi de 120 compétiteurs de l'énorme équipe anglaise, fut procuré grâce aux efforts d'hommes sportifs tels que Lord Derby et autres.

Lorsque 500 délégués de l'assemblée de la Légion Canadienne ont marché du centre-ville au Stade, la ville de Hamilton déclara un congé civique pour ses 155,000 habitants et célébra ainsi la journée d'ouverture des Jeux. Plus de 20,000 spectateurs se présenterent au Stade pour les cérémonies d'ouverture pour acclamer les équipes qui défilèrent devant la cabine du Gouverneur-général, vetus de leurs costumes distinctifs. Le Premier Ministre, R.B. Bennett, fit un discours et lut les messages de bienveillance du roi George V, Prince du Pays de Galles, du Duque de Connaught et de Lord Derby. Dans son discours et avant de déclarer les Jeux Ouverts officiellement, Lord Willingdon a attiré une attention particulière à la valeur du lieu occupé par le sport dans les traditions des pays de l'Empire Britannique.

A la suite des discours faits par les dignitaires, Percy Williams du Canada, vainqueur des courses d'élan de 100m et 200m des Jeux Olympiques (1928), monta le dais et proclama le serment d'allégeance de la part de tous les compétiteurs:

Nous déclarons que nous sommes tous sujets de sa Majesté le Roi Empereur, que nous prenons part à ces Jeux de l'Empire Britannique en esprit de vrais athlètes, reconnaissant les reglements qui les gouvernent et, que nous sommes désireux d'y participer pour l'honneur de notre Empire et pour la gloire du sport.

La foule chanta "God, Save the King" et, pour compléter le rituel, il y eut "une salve de 21 canons et la libération des pigeons" (comme symbols de paix). Il y eut répétition de cette pompe dans tous les Jeux à suivre.

Six sports ont été présentés pendant ces Jeux: Athlétisme, Jeu de Boules (boulingrin), Boxe, Canotage, Natation et Plongeon et, Halterophilie. Les femmes ont fait compétition dans les évènements de natation seulement, évènements dominé par Joyce Cooper de l'Angleterre qui gagna trois des quatres évènements individuels et fut membre de l'equipe victorieuse du relai 4 x 100 verges de Style Libre. Un journaliste pour le *Times* anglais écrivit: "Le Canada a convenablement touché sa première victoire dans les Premiers Jeux de l'Empire" après que Gordon Smallcombe fut acclamé premier champion des Jeux en gagnant le saut triple (Hop, Step and Jump) avec une distance de 48' 5''. Percy Williams avait couru les 100 verges avec minutage de 9.6 secondes dans les éliminatoires mais subit une entorse musculaire près de la ligne d'arrivée dans la finale. Il a pu terminer la course en gagnant avec un minutage de 9.9 secondes, dernière victoire d'une carrière éminente. D'autres réussites canadiennes ont été enregistrées: en plongeon, Alfred Phillips gagna les évènements de tremplin et de tour; en halterophilie ou le Canada gagna la médaille d'or dans les sept classes de poids. Des spectacles mémorables ont été pourvu par Hendrick Hart, de l'Afrique du Sud, qui capta les médaille d'or dans le lancement du poids et la médaille de bronze en javelot. Ce dernier évènement fut gagné par un néo-zélandais, Stanley Lay, avec un lancement de — 207 pieds 1½ pouces, record non surpassé jusqu'aux Jeux de 1954 à Vancouver.

Pendant le banquet de fermeture à l'hôtel Royal Connaught, les orateurs rendirent hommage aux organisateurs des Jeux et à la Ville de Hamilton. Ils prononcèrent l'incontestable succès des Jeux et dès lors, il y eut un accord pour la continuation des Jeux à tous les quatre ans, entre le montage des Jeux Olympiques. Les représentants ont décidé former une Fédération des Jeux de l'Empire Britannique pour surveiller les compétitions futures avec bureaux centraux à Londres. A base de victoires de première place, six pays gagnèrent des titres: l'Angleterre 25, le Canada 20, l'Afrique du Sud 6, l'Australie et la Nouvelle-Zélande, trois chaque et l'Ecosse 2; mais, comme nous le démontrons de plusieurs façons, ce fut l'esprit des concours qui en ressortit comme résultat plus important. Dans la troisième éliminatoire de l'événement de course de 100 verges, pour ne donner qu'un exemple, quand le compétiteur de la Nouvelle-Zélande fut disqualifié après trois fausses sorties : "La foule fit tellement de bruit qu'il fut impossible de continuer la course jusqu'à ce que Elliot obtint permission d'y participer". Dimanche, le 24 août, après les Jeux, toutes les équipes ont marché à travers la ville jusqu'au Cénotaphe, ou ils déposèrent des couronnes mortuaires en souvenir — acte qui "fut beaucoup apprécié par les habitants de Hamilton".

IIᵉ JEUX DE L'EMPIRE BRITANNIQUE LONDRES, ANGLETERRE, 4 - 11 août, 1934

La responsabilité pour l'organisation des deuxièmes Jeux de l'Empire Britannique pour l'Angleterre — y compris logement, cérémonies, finances, billets et venues — fut à charge du Conseil des Jeux de l'Empire Britannique, tandis que les arrangements techniques ont été pris en main par les Associations nationales d'amateurs appropriées. Aujourd'hui une situation semblable existe: c'est à dire que les représentants des associations sportives internationales sanctionnent les officiels et examinent de près l'équipement et installations "afin de rendre valable tout nouveau record".

Seize pays participèrent avec présence de 500 compétiteurs et 100 officiels. Les pays nouveaux venus furent: le Hong-Kong, la Jamaïque La Rhodésie et Trinité. Des compétitions ont eu lieu dans six sports: Athlétisme (pour hommes *et* femmes), Jeu de Boules, Boxe, Cyclisme, Natation (hommes et femmes) et Lutte. (Le Cyclisme avait été choisi pour remplacer le canotage). Les Cérémonies d'Ouverture pittoresques avec quelques 50,000 spectateurs présents, eurent lieu dans le Stade White City. Le pavillon britannique fut élevé au milieu d'une fanfare de trompettes; des milliers de pigeons ont été libérés; le capitaine de l'équipe anglaise, R. L. Howland, proclama le serment d'allégeance et les Jeux débutèrent avec enthousiasme. Le Canada, comme nation hôte des Jeux précédents, était en tête de la procession et suivie

par les autres nations en ordre alphabétique; l'Angleterre, comme hôte du présent, prit la dernière place.

En athlétisme, il y eut 21 événements pour hommes et 9 pour femmes. C'est ici ou la Guyane (anglaise) obtint sa première médaille d'or grâce à Philip Edwards qui gagna la course de 880 verges pour hommes. En tout, cinq records de Jeux ont été battus dans le Stade et un fut égalé. Le premier événement d'Athlétisme pour femmes à jamais être contesté dans les Jeux fut le lancement du javelot . . . ou il n'y avait que quatre participants, tous de l'équipe anglaise. Les autres événements pour femmes furent: 100 verges; 220 verges; 880 verges; relais de 440 verges; relais de 660 verges; courses d'obstacles de 80m; saut en hauteur et saut en longueur. A. Sweeney de l'Angleterre fut le premier homme à gagner la course d'élan double; l'Australien J. P. Metcalf gagna le saut triple avec une distance de 51' 3½", record de durée de 24 ans; et, H. Hart de l'Afrique du Sud accomplit une répétition de son spectacle de 1930 en gagnant les deux médailles d'or dans le disque et le lancement du poids. Un canadien, âgé de 15 ans, gagna le saut en longueur et un canadien, âgé de 40 ans (de Hamilton), gagna la course du marathon. Tout de même il y a un consensus sur le fait que "l'athlète éminent des Jeux de Londres" fut un Rhodes Scholar de Nouvelle-Zélande, Jack Lovelock. Ce champion futur de la course Olympique de 1500m, gagna la course du Mille en 4 minutes 12.8 secondes, sur une piste trempée par la pluie. Même si il y eut une vive émotion et des spectacles saillants aux venues en dehors du Stade, le consensus général est que les événements d'athlétisme, vus dans le Stade, constituent le centre émotif des Jeux devant le toujours plus nombreux auditoire.

Aussi, des considération politiques ont survenu en 1934 quand "une polémique fit rage à cause du rejet d'une équipe irlandaise de nageurs" (notez: Dans les élections irlandaises de 1932, les Républicains ont gagné 72 sièges en comparaison avec 65 pour le Gouvernement; De Valera fut élu président avec un programme de rejet du serment au roi). De toute façon, les événements de natation et de plongeon ont eu lieu, comme prévu, dans la nouvelle piscine Empire où 6,000 spectateurs ont joui de Cérémonies d'Ouverture semblables à celles du Stade (moins les pigeons). Il y eut neuf événements pour hommes et huit pour femmes. Suivant l'exemple de Phyllis Dewar qui gagna quatre médailles d'or, les nageurs canadiens gagnèrent quatre des huit événements pour femmes. Les plongeurs anglais dominèrent les deux événements de plongeon tandis que les boxeurs anglais gagnèrent dans six des huit catégories. Les honneurs ont été distribués avec plus d'égalité dans les événements de Cyclisme, Jeu de Boules et Haltérophilie. Le Cyclisme, tenu à Fallowfield dans le Club d'Athlétisme de Manchester à près de 200 milles de distance, fit son début pendant le dernier jour des Jeux. A base de premières places gagnées, le standing non officiel des pays fut: Angleterre 29; Canada 17, Australie 8; Afrique du Sud 7; Guyane (anglaise) et Nouvelle Zélande, une chaque.

Il nous est impossible, soi-disant, de garder des statistiques sans vantardise, désespoir ou malice, même si ceux-ci peu-

vent servir dans l'analyse globale des Jeux. Les deux premiers Jeux, par exemple, paraissaient indiquer que l'Angleterre et le Canada possédaient une suprémaie alarmante en athlétisme et, avec sa prolongation l'on voyait une possible preuve d'une tendance dangereuse pour l'avenir des Jeux. Et encore, pendant les Jeux suivants, tenus à Sydney en 1938, les athlètes australiens ont emporté deux fois plus de médailles que la "seconde" nation que fut, encore une fois, le Canada. Tout ceci pourrait représenter une autre justification pour l'ancien proverbe russe: "les murs d'un pays sont amicaux", ou pourrait ressortir des longs voyages outremer pris, à leur tour, par les anglais et canadiens. Tout de même, un examen de près révèle que 10 des médailles d'or australiennes furent gagnées par des femmes, 5 en natation et 5 en athlétisme ce qui proportionna un point décisif dans le progrès de l'émancipation sportive de la femme et une indication de la tendance sociale.

A la fin des Jeux de 1934, la Coupe Lonsdale, emportée par les athlètes canadiens masculins pendant les compétitions du "Festival de l'Empire" en 1911, fut présentée à la Fédération des Jeux de l'Empire Britannique. D'un commun accord, elle fut fondue en novembre de 1934 et des reproductions de la fameuse Coupe Queen Anne—trophée sportive anglaise de 222 ans—ont été coulées d'argent. La plus grande des reproductions fut retenue par la Fédération pour la Société royale du Commonwealth à Londres; les plus petites furent présentées à 11 pays qui avaient fait partie des Associations des Jeux de l'Empire Britannique.

IIIᵉ JEUX DE L'EMPIRE BRITANNIQUE SYDNEY, AUSTRALIE, 5 - 12 FEVRIER, 1938

Les participants aux Jeux qui sont venus de l'hémisphère du nord ont été pourvus, dans ces premiers Jeux antipodaux, avec l'occasion de jouir d'un festival d'été du sud au mois de février; événement qui contrasta avec les Olympiques Nazis de Berlin, tenus dix-huit mois auparavant. Le reportage du *Times* anglais indiqua que les australiens avaient été concédés, pour la première fois, l'organisation des IIIᵉ Jeux de l'Empire Britannique "en honneur du 150ᵉ anniversaire de la fondation de la première colonie de race blanche sur ses côtes". Le Hong-Kong, la Jamaïque et la Terre Neuve ne comptaient pas parmi les 15 pays représentés mais les Iles Fidji et le Ceylan y figuraient. Un total de 466 athlètes et 43 officiels participèrent dans les compétitions de sept sports: Athlétisme, Jeu de Boules, Boxe, Cyclisme, Canotage, Natation et plongeon, Haltérophilie.

"Une foule record de 40,000 personnes" fut présente pour les Cérémonies d'Ouverture aux fameux terrains de Cricket de Sydney. Quelques doutes furent exprimés à propos de la piste d'herbe peu commune, mais 22 records furent établis de 28 événements d'athlétisme et un record fut égalisé. L' "electrifiante coureuse d'élan" de l'Australie Decima Norman, emporta trois nouveaux records individuels et gagna un total impressionnant de 5 médailles d'or—un record pour athletes féminines qui n'est pas égalé ou surpassé. John Loaring du Canada gagna trois médailles d'or et, Cyril Holmes, le coureur anglais de l'élan, devint le champion du Sprint double. Cecil Mathews de la Nouvelle-Zélande fut victorieux dans les deux événements de course de 3 et 6 milles, établissant, par une grande marge, deux nouveaux records, autre réussite double qui n'a eu aucune répétition dans les Jeux des années suivantes. Thomas Lavery l'emporta dans les courses d'obstacles de 120 verges avec un minutage de 14.0 secondes, dépassant les records mondiaux existants. Au lendemain, les officiels ont nié le record à base d'un excès d'aide—de la part du vent.

Les événements de Natation et de Plongeon eurent lieu dans la "piscine Olympique" qui mesurait 55 verges en longueur au lieu des 50 verges habituelles. Les distances parcourues furent alors de 110, 220 et 1650 verges, en contraste avec les 100, 200 et 1500 verges des compétitions précédentes. D'un total de 13 événements de natation (pour hommes et femmes), l'Angleterre en emporta 6, l'Australie 4 et le Canada 3. Dans les événements de plongeon, l'Australie en gagna 3 et l'Angleterre en gagna un seul. Le canadien Robert Pirie obtint deux médaill d'or et trois d'argent dans les compétitions de natation. L'anglais, John Davies, gagna l'événement de brasse de 220 verges dans un minutage record—en utilisant la forme papillon! (Le premier événement officiel du papillon de 220 verges date de 1958). Le record de Davies dura pendant 20 ans.

Les athletes australiens dominèrent les événements de lutte, emportant six médailles d'or dans sept des événements. De plus, ils gagnèrent deux des trois événements de canotage, et l'Australie fut la nation avec la meilleure réussite dans l'événement de Cyclisme avec un total d'ensemble de deux premières et deux secondes places dans quatre événements. Le *Times* anglais signala que "l'une des plus grandes foules—quelques 10,000 personnes—dans l'histoire du Cyclisme . . . se rassembla au parc Henson . . ."

Une réunion de la Fédération eut lieu avant que les Jeux se terminent, afin de décider quelle serait la Ville-Hôte des Jeux de 1942. Le choix fut Montréal, Canada, mais les années de conflit entre 1939 et 1945 signifiaient qu'une douzaine d'années passeraient avant que les athletes de l'Empire puissent se rencontrer encore une fois dans des compétitions amicales. Quand vint le temps propice, le lieu choisi fut tout juste de l'autre côté de la mer Tasmanienne-en Nouvelle-Zélande.

IVᵉ JEUX DE L'EMPIRE BRITANNIQUE AUCKLAND, NOUVELLE-ZELANDE, 4 - 11 février, 1950

Après les ravages de la deuxième guerre mondiale, ce fut la ville cicatrisée de Londres qui prit courageusement la responsabilité de devenir la ville-hôte pour les Jeux Olympiques de 1948. Les membres de la Fédération des Jeux de l'Empire Britannique s'y rencontrèrent afin d'élire un nouvel exécutif et

sélectionner un endroit pour les IVᵉ Jeux de l'Empire. La position de Secrétaire Honoraire, laissée par le Col. Evan Hunter (office tenue depuis 1932), fut prise en main par K. S. (Sandy) Duncan, position responsable qu'il exécute avec distinction jusqu'au présent. Le Comte (Earl) de Gowrie fut élu Directeur et, Arthur Porritt, en est devenu Président. La ville-hôte d'Auckland en Nouvelle-Zélande fut choisie pour les Jeux de 1950.

Un total inouï de 590 athletes (495 hommes et 95 femmes) et 73 officiels furent présents même si seulement 12 nations participèrent dans ces premiers Jeux de l'après-guerre. La Nigérie entra dans les Jeux pour la première fois ainsi que la Malaisie et le Singapour qui présentèrent une équipe jointe. Les "absents" furent les pays des Caraïbe Bermudes, Guyane (anglaise), Jamaïque et Trinité, ainsi que l'Irlande du Nord. Neuf sports ont été présentés: Athlétisme, Jeu de Boules, Boxe, Cyclisme, Canotage, Natation et plongeon et Lutte avec deux nouveaux sports: l'Escrime (avec un événement pour femmes) et l'Haltérophilie. Les finances pour les Jeux ont été à charge d'une compagnie spécialement enregistrée pour l'occasion: "The 1950 British Empire Games Ltd.", et 15,000 livres ont été utilisées pour subventionner les dépenses des équipes visiteurs. Afin de suivre la traditions généreuses des Jeux, les équipes furent logées gratuitement au Teacher's Training College. La Cérémonie officielle d'ouverture fut dirigée par Sir Bernard Freyburg V.C., au parc Eden, devant une foule de 40,000 (à capacité) enthousiastes.

Le joyau de la piste fut un sprinter australien, Marjorie Jackson, âgée de 18 ans, qui électrisa l'assistance en égalant le record mondial par ses victoires dans les courses de 100 et 200 verges. Elle obtint aussi deux autres médailles d'or dans les relais. Un autre australien, John Treloar, gagna le sprint double dans les compétitions masculines. Duncan White gagna la seule médaille d'or que le Ceylan a jamais gagné aux Jeux de l'Empire par sa course de Haies de 440 verges et, Mataika Tuicakau des Iles Fidji obtint une pareille distinction dans le lancer du poids (et gagna une médaille d'argent dans le disque). La course du Marathon fut gagnée par un vétéran de 43 ans, Jack Holden de l'Angleterre après une expérience pleine d'événements:

> Ses souliers se rompirent après 16 milles et il courut les dix autres milles . . . sans souliers . . . à trois milles de la ligne d'arrivée . . . un grand danois l'attaqua et lui marqua les jambes . . .

Tom Lavery de l'Afrique du Sud avait gagné les Haies de 1938 mais il a dut se contenter d'une médaille de bronze à Auckland. Après le début de la course il perdit le bouton de son caleçon de sport "et seule l'action de pompage de ses jambes lui évita l'embarras complet. Son caleçon glissait au long de sa cuisse pour être soulevé par une saccade lorsqu'il sautait une Haie".

Au Drill Hall, les athletes anglais l'emportèrent sur les autres, gagnant six médailles d'or et une d'argent dans les sept compétitions d'Escrime, l'exception étant

l'équipe australienne Epée qui gagna une médaille d'or. Tout de même, ce fut aux athletes australiens de dominer dans les événements de Cyclisme, tenus à Western Springs en banlieue d'Auckland; de cinq compétitions, ils gagnèrent quatre médailles d'or, trois d'argent et deux de bronze. Ainsi dans les événements de canotage ou les rameurs australiens gagnèrent 4 de 5 compétitions. Ces événements eurent lieu dans une extrême chaleur, devant un auditoire de "50,000 spectateurs" au lac Karapiro, à une distance de près de 100 milles. Les honneurs dans les événements de natation et de plongeon pour hommes, tenus dans la piscine Olympique Newmarket, furent distribués d'une façon plus uniforme mais dans la natation pour femmes, les compétitrices australiennes gagnèrent 4 de 6 événements. Edna Child de l'Angleterre gagna les deux compétitions de plongeon. Une jeune nageuse africaine âgée de 14 ans, Joan Harrison, établit un nouveau record dans la natation (pour femmes) de 440 verges à style libre et fut la plus jeune à gagner une médaille d'or. Dans le Jeu de Boules (même si les athletes de la Nouvelle-Zélande gagnèrent 2 de 3 événements), la Boxe, l'Haltérophilie et la Lutte, les concours furent beaucoup plus égaux et les médailles mieux partagées. De toute façon, le fait que l'Australie soit la nation avec le plus de réussites à base de premières places, ne devrait pas nous surprendre. En fin de compte, l'on nous a signalé que "tous les douze pays qui participèrent ont réussi à gagner au moins un prix de première place".

Les Jeux de l'Empire Britannique furent saillants dans plusieurs aspects: l'organisation efficace, hauts standards, plusieurs nouveaux records ont été établis, quelques records mondials ont été egalisés et un état financier final tout à fait heureux où "un total de 246,694 personnes ont payé pour avoir accès aux Jeux" avec résultat d' "un compte brut de la somme satisfaisante de 89,457 livres - 19s - 3d". Le rapport du *Times* signala que, pendant la Cérémonie officielle de Clôture "..un geste humain et très impressionnant fut ajouté par la multitude qui chantait d'une seule voix "Le temps de Jadis" (Auld Lang Syne) et "Maintenant c'est l'heure"—le chant d'adieux de la Nouvelle-Zélande". D'autres "Jeux de l'Amitié" s'étaient conclus et, tous et chacun rentrerait à sa patrie en attendant les prochaines célébrations.

Vᵉ JEUX DE L'EMPIRE BRITANNIQUE ET DU COMMONWEALTH VANCOUVER, CANADA, 30 juillet - 7 août, 1954

Dans le best-seller *The Book of Lists* de publication récente, l'on trouve une section intitulée: *The Sporting Life* (La vie sportive) qui contient plus de 50 listes de réussites athlétiques; l'une d'elles est étiquettée comme suit: *The 6 Most Dramatic Events in Sports History* (Les Six Evénements les plus dramatiques de l'histoire sportive). Des seconds aux sixièmes choix font appel aux athletes américains...mais le premier c'est:

Roger Bannister en passant John Landy
à gagner Le "Mille Miracle" a Vancouver
pendant Les Jeux Commonwealth de 1954

"Le duel du mille Bannister-Landy (1954)"
(The Bannister-Landy 1-Mile Duel) Cet
événement eut lieu pendant les Ve Jeux de
l'Empire Britannique et du Commonwealth et
fut affiché comme le mille du siècle, entre
Roger Bannister d'Angleterre et John Landy
de l'Australie:

> Trois mois auparavant, Roger Bannister
> fut la première personne à rompre le
> mille de 4 minutes. La seule autre per-
> sonne à couvrir le mille en moins de 4
> minutes fut Landy qui possédait, dès
> lors, le record mondial. A la sortie, Lan-
> dy était en première place avec Ban-
> nister en troisième, puis en seconde,
> immédiatement derrière lui. Au son de
> la cloche annonçant la dernière
> tournée, les dernières 440 verges, Lan-
> dy était en avant avec Bannister aux
> talons. Dans la dernière partie de la
> course, Landy se retourna par la
> gauche pour voir si Bannister y était,
> mais non, Bannister était en avance et
> gagnait du terrain tandis que Landy le
> cherchait. Bannister gagna le mille
> historique par 5 verges en 3:58.8 con-
> tre le minutage de 3:59.6 de son
> adversaire.

En effet, Landy savait que Bannister était très
près de lui et un coureur expérimenté et
courant dans le couloir intérieur à la courbe,
en sens inverse des aiguilles d'une montre, ne
cherche jamais à gauche pour trouver un
adversaire qui, manifestement, doit le
doubler sur la droite. Landy cherchait à voir
où était situé le troisième coureur (Richard
Ferguson du Canada, 4:4.6) au cas où il
aurait à lutter pour la médaille d'argent. Cet
instant se préserve pour la postérité en dehors
du Stade Empire à Vancouver, scénario qui

sera normalement appelé: "the Miracle Mile
Games" (Jeux du mille miraculeux).

La course du Marathon produit un drame
d'un autre genre quand le capitaine de
l'équipe athlétique d'Angleterre, Jim Peters,
âgé de 43 ans, entra au Stade en titubant
après avoir couru 26 miles, sauf une tournée
du Stade à compléter avant de gagner la
médaille d'or. Il était à peu près crevé et les
spectateurs ont été témoins de l'angoisse de
ce brave coureur qui tomba 11 fois en tout et
avançait en chancelant et en rampant dans
un effort à se rompre le coeur de toucher
l'arrivée. Cette torture de soi, individuelle
mais en même temps publique, continua
"assurément pour 19 minutes avant qu'il
tombe entre les bras d'un masseur anglais";
mais hélas, ce soulagement vint à faute de
200 verges de la ligne d'arrivée. Cet effort fut
décrit comme suit: "la plus grande manifesta-
tion de courage jamais vue". Aucune statue
ne rend hommage à son courage mais la
souscription Jim Peters fut établie pour aider
les enfants défavorisés.

D'autres individus proportionnèrent des
spectacles mémorables pendant ces Jeux de
1954. Emmanuel Ifeajuna (Nigérie) établit
un nouveau record dans le saut en hauteur de
6' 8" et Ken Wilmshurst (Angleterre) gagna
le saut en longueur et le saut triple. La
coureuse d'élan Marjorie Nelson (née
Jackson) ainsi que Yvette Williams, gagna 3
médailles d'or; cette dernière fut l'athlète
d'ensemble de la Nouvelle-Zélande. Dans les
événements de courses à distance moyenne,
les athlètes anglais l'ont emporté en gagnant
10 des 12 médailles possibles. Le spectacle
saillant en Natation fut accompli par John
Handricks de l'Australie qui gagna 3 médailles d'or. La Lutte fut dominée par l'Afrique
du Sud qui emporta 6 des médailles possibles.

Les Jeux de Vancouver furent "un point
central de grandeur et de titre" dans l'histoire
des Jeux de l'Empire — ou — du Commonwealth et l'on pourrait les nommer représen-
tatifs des premiers plus gros et blasés spectacles "de l'époque contemporaine". Deux fois
le nombre de pays furent représentés les 662
athlètes participèrent dans les mêmes neuf
sports qu'à Auckland, quatre ans auparavant
et l'on ne changerait pas ce nombre pendant
les Jeux ni de 1958 ni de 1962. Le nouveau
titre du festival "représentait l'image d'une
maturité politique croissante de la part des
pays-membres et le rapport entre la patrie
vis-à-vis son Empire" De plus, la plupart des
équipes utilisaient maintenant le transport
aérien pour se déménager, réduisant ainsi la
durée du voyage. L'Université de la Colombie
Britannique (ainsi que l'Université d'Alberta
dans les Jeux de 1978) logea les athlètes
dans un "village" temporaire. Du côté des
finances, la variété des installations utilisées
pour les venues sportives avaient coûté
$2,034,583 et l'équipement, un total de
$19,045. Le total des cachets de boîte étaient
de $387,980. Heureusement, un accord de
partage des dépenses fait entre les trois
niveaux du gouvernement: fédéral, provincial et municipal étaient en vigueur et, pour
les Jeux de Vancouver, chacun des trois
niveaux proportionna $200,000 à la "Société
des Jeux de l'Empire Britannique et du Commonwealth (1954)". Cette société fut établie
que pour administrer les Jeux. La majorité des
citoyens de Vancouver avait voté, en
décembre 1952, en faveur d'une acte qui
pourvut $750,000 afin de couvrir partielle-
ment les coûts du Stade Empire. En plus, 20
communautés locales firent une cotisation de
$21,770. La Ville de Vancouver fit un octroi
de $181,222.67 avec but spécifique des
coûts pour le Stade et, après les Jeux, le

gouvernement provincial proportionna un autre $50,000 afin d'aider a défricher le déficit.

VIe JEUX DE L'EMPIRE BRITANNIQUE ET DU COMMONWEALTH CARDIFF, PAYS DE GALLES, 18 - 26 juillet, 1958

Le tout petit Pays de Galles, qui fut représenté dans tous les Jeux depuis 1930, a attiré la plus grande assemblée a date; 35 pays ont envoyé plus de 1100 athlètes et 228 officiels a Cardiff en 1958. L'on décrit ces Jeux en 1978 comme suit:

En ce qui est de spectacles, ceux-ci furent possiblement les plus grands . . . quand dix records mondiaux ont été surpassés et presque tout le livre de records des Jeux refait. Il y eut plein de drames dans ces Jeux et une série de records mondiaux ont démontré les énormes progrès que subirent les sports, surtout en natation, dans cette période des années 50.

Tout de même, un nuage sinistre menaçait, avant même que les Jeux commencent. L'on fit un nombre de manifestations de proteste a Londres comme a Cardiff puisque l'on croyait que l'équipe de l'Afrique du Sud "avait été sélectionnée a base de couleur au lieu d'habilité". Même si les athlètes ne semblaient aliénés par ces événements, ceux-ci furent les derniers Jeux auxquels se présenta l'Afrique du Sud. Le pays se retira du Commonwealth en 1961. Ceux d'entre nous qui se souviennent avec tendresse du nombre de contributions que les athlètes et le pays firent pour les célébrations des Jeux depuis 1930, ne peuvent qu'être affligés par ce cours d'événements.

Un message de Sa Majesté la Reine, du Palais de Buckingham, fut placé dans un bâton de conception spéciale et porté, jour et nuit, par un total de 664 coureurs, pour que le Prince Philip puisse le lire pendant les Cérémonies d'Ouverture devant une foule rassemblée dans le parc Cardiff Arms. Selon le déja dit, les spectateurs trouvèrent beaucoup de spectacles à applaudir, a toutes les venues, pendant les jours a suivre. Nous ne puovons que signaler quelques exemples ici. Encore une fois, il y eut beaucoup d'actes courageux a voir, sans compter les spectacles mêmes. Telle fut la victoire d'un néo-zélandais Murray Halberg, et sa course de 3 milles. Halberg avait un bras desseché "qui pendait mollement de son épaule dans une position anormale" — pendant ses premières années il avait polio. Le sud-africain, Gert Potgeiter, 12 mois avant ces Jeux, fut temporairement paralysé après s'être cassé le cou dans un match de Rugby. Tout de même, il regagna suffisamment la forme pour mériter la médaille d'or dans la course de Haies de 440 verges, établissant un nouveau record qui, à présent, n'a pas été surpassé dans les Jeux du Commonwealth.

La fameux australien, Herb Elliott, gagna les courses de 880 verges et d'un mille. Derrière lui, dans la course du mille vinrent ses compatriotes Mervyn Lincoln et Albert Thomas, ce qui permit à l'Australie d'emporter tous les médaillons. Un autre australien, David Power, a obtenu une double victoire dans les courses de 6 milles et du Marathon y établissant des records pour les Jeux. L'australienne, Marlene Mathews-Willard, gagna le concours de 100 et 200 verges et, son record de 23.6 secondes dans cette dernière course n'est toujours pas surpassé. De même pour le lancement de 188'4'' du Javelot de sa compagne Anna Pazera. Tout de même les athlètes de "l'antipode" furent pourvus avec une resistance opiniâtre de la part de tels athletes comme Keith Gardener (Jamaïque), Milka Singh (Inde), Geoff Elliott (Angleterre), Stephanus du Plessis (Afrique du Sud), et Susan Allday (Angleterre) qui gagnèrent tous des médailles d'or dans leurs compétitions respectives. Un anglais, Micheal Ellis, tira le Marteau près de 27' plus loin qu'il ne fut tiré pendant les compétitions antérieures.

Dans les évenements de natation, l'on aurait juré que "l'Australie était seule contre tous": dans les huit compétitions pour hommes, un record mondial et six records pour les Jeux ont été établis et, l'Australie les emporta tous, sauf un seul. Les étoiles australiennes furent guidées par John Konrads qui gagna deux médailles d'or et sa soeur, âgée de 14 ans, gagna la compétition du style libre (440 verges), battant les plus célèbres Dawn Fraser et Lorraine Crapp. La compétition de natation (pour femmes) fut une lutte entre l'Australie et l'Angleterre. Dans tous les sept évenements, des records pour les Jeux ont été établis avec quatre records mondiaux. L'Australie gagna éventuellement 4 médailles d'or et l'Angleterre dut se contenter avec trois. Les étoiles anglaises furent Judy Grinham et Anita Lonsborough, ainsi que Charmian Welsh qui gagna les deux compétitions de plongeon.

Dans les autres évenements, six des finalistes sud-africains de la compétition de Boxe ont emporté 4 des médailles d'or. Aussi, les résultats de ce sport offrirent un coup d'oeil à l'avenir puisque les noms de Nigérie et de Ouganda apparurent entre les gagnants de médailles. Les quatre Jeux a suivre verraient un nombre croissant de nations africaines comme figurantes dans la liste des vainqueurs de boxe, y compris Ghana, Kenya, Malawi, Tanzanie et Zambie. Le succès des athlètes noires de l'Afrique, ainsi que ceux du Caraibes reflétait carrément l'amélioration de leur position vis à vis un Commonwealth qui changeait de perspectives. A l'avenir, les athlètes blancs, des nations fondatrices de ces Jeux, envisageraient une opposition plus accentuée dans les compétitions de leurs sports traditionnels. L'évenement de Lutte proportionna une autre vision en ce qui est du futur des Jeux. Dans cette compétition, l'équipe sud-africaine gagna 4 médailles, les lutteurs pakistanais en gagnèrent 3 et, Lila Ram de l'Inde, en gagna une.

Le point central des Cérémonies de Clôture des Jeux de Cardiff fut un message de Sa Majesté la Reine qui avait choisi l'occasion "Pour faire de mon fils Charles, le Prince du Pays de Galles", nouvelle qui fut reçue avec enthousiasme par une foule composée, en grande majorité, de gallois. Un autre point central fut l'entremêle d'athlètes et officiels, à la sortie des Jeux, en geste commun d'amitié.

VIIe JEUX DE L'EMPIRE BRITANNIQUE ET DU COMMONWEALTH PERTH, AUSTRALIE, 21 novembre - 1 décembre, 1962

Les Honduras (anglaises), Dominique, Papua (Nouvelle-Guinée) et Ste. Lucie furent représentés pour la première fois dans les Jeux du Commonwealth à Perth ou participèrent un total de 1,041 compétiteurs et officiels de trente pays. Les "absents" furent: l'Inde, la Nigérie et, bien sûr, l'Afrique du Sud. Une foule de 50,000 personnes se réunirent dans le nouveau Stade Perry Lakes (d'un coût d'un million de livres sterling) ou ils endurèrent une extrême chaleur pendant les Cérémonies d'Ouverture. Des équipements électroniques de photographie et de minutage (utilisés pour la première fois a Vancouver en 1954) aidèrent aux juges dans leurs décisions pour les évenements d'Athlétisme (ou une piste cendrée fut utilisée), Cyclisme et Natation. Encore une fois, de nouveaux records ont été établis — les équipes passaient plus de temps en entraînement pour les Olympiques et pour les Jeux du Commonwealth, — surtout en Natation.

Les nageurs australiens l'ont emporté dans les évenements de natation, sauf pour une médaille chaque pour l'Angleterre et le Canada. Ils suivirent la direction de Murray Rose qui gagna 4 médailles d'or avec Ian O'Brien et Kevin Berry, qui gagnèrent 3 chacun. Les nageuses australiennes et anglaises, ici comme à Cardiff quatre ans auparavant, se rencontrèrent dans une lutte acharnée pour la suprémacie. Cette fois, l'Angleterre l'emporta avec 5 médailles d'or, — trois pour Anita Lonsborough et deux pour Linda Ludgrove (âgée de 15 ans), — contre 4 médailles d'or pour l'Australie. Dawn Fraser gagna deux titres individuels et aida dans les victoires de relais. L'anglais, Brian Phelps, gagna les deux compétitions de plongeon pour hommes; l'australienne, Susan Knight, gagna les deux évenements de plongeon pour femmes.

Malheureusement, le duel anticipé entre Peter Snell de la Nouvelle-Zélande et Herb Elliott ne fut présenté au Stade à cause de l'absence de ce dernier. Snell, le champion Olympique y gagna éventuellement la course du mille et celle de 880 verges avec un record mondial dans cette dernière compétition. En tout, 10 records de Jeux ont été battus dans les compétitions de piste et de pelouse. Les compétitrices avec le plus de réussites furent les australiennes qui gagnèrent 5 médailles d'or, 3 d'argent et 6 de bronze dans ces mêmes compétitions. L'Angleterre obtint 3 médailles dans chaque catégorie. Entre les étoiles figure Dorothy Hyman d'Angleterre qui gagna la course du Sprint double. Les australiennes gagnèrent toutes les médailles dans le saut en hauteur et en longueur pour femmes, prouesse qui n'a pas été répétée. Le canadien, Bruce Kidd, âgé de 17 ans à l'époque, gagna la course de 6 milles dans un nouveau record pour les Jeux de minutage: 28 min. 26.6 secondes. Seraphino Antao révéla le pouvoir Africain sur piste en gagnant les courses pour hommes de 100 et 200 verges.

Même si les honneurs en Boxe ont été bien partagés, trois nations africaines figuraient dans la présentation de médailles. Ghana était en première place avec 2 médailles d'or et 4 d'argent; l'Ouganda en emporta 1 d'or et 3 de bronze. Le Kenya toucha une médaille de bronze et une d'argent. Plusieurs problèmes administratifs survinrent pendant les compétitions de Lutte (et, ainsi, quelques directeurs d'équipes furent recrutés comme officiels de Jeux); et, lors de la désignation d'un juge sud-africain, il y eut protestation. Robert Mallon fut le quatrième lutteur consécutif de l'Ecosse à gagner la catégorie du poid-mouche.

Les athlètes australiens dominèrent les événements de Cyclisme en emportant 4 des 5 titres contestés mais un plus grand déséquilibre survint lors des compétitions d'Haltérophilie où les lutteurs pakistanais gagnèrent non moins de 7 des 8 catégories. L'Angleterre emporta 2 médailles d'or dans le Jeu de Boules "où l'Ecosse prit les deuxièmes places dans les trois événements tandis que la Rhodésie fit de même pour les troisièmes places".

Les réussites dans les sports d'Escrime, de Canotage et d'Haltérophilie furent mieux partagées. Nous devrions faire mention de l'escrimeur anglais Rene Paul qui se retira après les Jeux de 1962 ayant gagné un total de 7 médailles d'or, 2 d'argent et 1 de bronze dans ce genre de compétitions depuis les Jeux de 1950.

Entre autres, les Jeux de Perth ne devraient jamais s'oublier en raison de leur heureuse fin, décrite comme suit:

> ... les athlètes prirent la directive et changèrent les Cérémonies de Clôture des VIIᵉ Jeux de Perth en un adieu de gaîté et de tendresse... le lutteur gallois, Rocky James, monta le podium et dirigea le chant "Waltzing Matilda" pour plus de 700 personnes... les athlètes sortirent, main dans la main. A ce point, le Duc d'Edimbourg sortit en voiture parmi la foule riante et applaudissante. Les athlètes et la foule avaient changé les cérémonies formelles de clôture en geste tendre et émotif. Sans aucun doute, les VIIᵉ Jeux avaient accompli leur but premier de promouvoir l'amitié inter-Common-wealth.

Il y eut trois villes candidates pour être ville-hôte des Jeux de 1966. Les Jeux furent donnés à la Jamaïque "le plus petit pays indépendant à avoir monté les Jeux".

VIIIᵉ JEUX DU COMMONWEALTH BRITANNIQUE KINGSTON, JAMAIQUE, 4 - 13 août, 1966

Plus de 1,000 athlètes représentant 34 pays avec le plus grand nombre d'officiels à date (266) se présentèrent pour les Jeux de 1966 à cette petite Ile des Caraïbes. La situation des venues, y compris les trois centrales—le Stade National, la piscine et le nouveau Convention Hall—était telle que l'on pouvait marcher de l'une à l'autre: "un

chef-d'oeuvre de planification qui ne fut perdu à l'oeil des spectateurs d'outre-mer. Tout de même, un énorme embouteillage de circulation dans les alentours du site signifia que les athlètes, voyageant au Stade en autobus, ne se rendirent pas à temps pour les Cérémonies d'Ouverture. Il y eut compétition dans neuf sports avec le Badminton et le Tir qui remplacèrent les Jeux de Boules et le Canotage. Le nombre de couloirs utilisés pour les événements de piste et de pelouse et de natation fut augmenté de 6 à 8 et ceux-ci furent les derniers Jeux dans lesquels on utilisa le système de mesure anglais. L'équipement électronique servit encore une fois aux juges dans leurs décisions et, de plus, les Jeux furent non seulement télévisés mais retransmis par communications-satellites à tous les intéressés dans plusieurs pays.

L'on a indiqué que les athlètes auraient pu être influencés par la chaleur et l'humidité mais, de toute façon, d'excellents spectacles ont été proportionnés dans les événements de piste et de pelouse. Pour ne donner qu'un exemple: dans les événements féminins, deux records ont été battus, deux égalisés et un établi dans la nouvelle course de 440 verges. Encore une fois, les australiennes démontrèrent leurs capacités d'athlètes gagnant 7 des 11 titres pour femmes en suivant l'exemple de Dianne Burge qui emporta 3 médailles d'or y compris le Sprint double. La jeune néo-zélandaise, Valérie Young (née Sloper) gagna le lancement du poids pour la troisième fois et le disque pour la seconde. Seize ans après son premier prix, elle participa dans les compétitions du lancement du poids à Christchurch (1974) pour en gagner le médaillon d'or. "La première médaille de n'importe quel genre, gagné par une africaine dans n'importe quel sport des Jeux" fut gagné Violet Odogwu de Nigérie, qui se procura la médaille de bronze dans le saut en longueur. Dans les compétitions de piste et de pelouse (pour hommes), 13 records de Jeux ont été battus, un égalisé et deux établis dans les nouveau événements: le Décathalon et la Marche de 20 milles. Ici les compétitions ont été plus égales et les dix pays partagèrent les titres comme suit:

Australie, Angleterre
      -4 médailles d'or chacun
Kenya et Nouvelle-Zélande
      -3 médailles d'or chacun
Canada, Ghana et Trinité
      -2 médailles d'or chacun
Nigérie, Ecosse et le Pays de Galles
      -1 médailles d'or chacun

Encore une fois, les prouesses des athlètes de jeunes nations ont été clairement vues dans plusieurs réussites et, peut-être plus, dans les victoires record de Kip Keino de Kenya dans les courses de 1 et de 3 milles et, par l'inconnu, Naftali Temu dans la course de 6 milles. Les premiers 6 finalistes de la course du mille l'ont tous couru en moins de 4 minutes et tous les gagnants de médailles ont dépassé le record de 3:58.8 de Bannister de 12 ans auparavant.

Non moins de 15 records mondiaux ont été établis dans les compétitions de natation dans les Jeux de 1966! Encore une fois, les australiens dominèrent—spécialement: Micheal Wenden, Robert Windle, Ronald Jackson, Peter Reynolds et Ian O'Brien, qui gagnèrent 10 de 13 événements. Cependant,

le duel des compétitions féminines ne fut pas entre l'Australie et l'Angleterre cette fois—l'Australie ne gagna qu'une médaille d'or—mais entre l'Angleterre et les prouesses canadiennes: chacune de ces nations gagna 5 médaillons d'or dans les compétitions de natation. L'étoile de la compétition fut Elaine Tanner—5' 2'' et âgée de 15 ans—elle gagna la renommée de "Mighty Mouse" canadien. Dans une incroyable semaine, elle gagna 4 médailles d'or et 3 d'argent, établit un nouveau record mondial dans le papillon de 220 verges et contribua au record mondial établi par l'équipe canadienne dans le relais de Style Libre de 4 x 110 verges. Son adversaire principale fut Linda Ludgrove, de l'Angleterre, qui gagna 3 médailles d'or. L'anglais, Brian Phelps, gagna l'événement de plongeon double (tour et tremplin).

En boxe, les nations noires d'Afrique ont pourvu un spectacle distinctif, emportant non moins de 17 médailles en tout, y compris 3 médailles d'or pour Ghana, 2 pour Nigérie, et une pour Kenya. Dans les compétitions de Cyclisme, les titres ont été mieux partagés et, Trinité et Tobago "firent preuve de force pour la première fois" par les deux victoires de Roger Gibbon. Deux cyclistes anglais gagnèrent une médaille d'or chacun. L'Ile de Man obtint sa première médaille d'or dans la réussite de Peter Buckley dans la course de Cyclisme sur route de 120 milles. Les compétitions d'escrime ne furent un réel concours: "L'Angleterre emporta toutes les médailles d'or et plus que sa juste portion des médailles d'argent et de bronze dans les événements individuels". Celle-ci fut la dernière compétition pur l'anglais, Allan Jay, qui emporta 7 médailles d'or, 1 d'argent et 2 de bronze pendant une carrière épatante dans les Jeux du Commonwealth depuis 1950. L'anglais, Ralph Cooperman fut un autre escrimeur saillant qui gagna 2 médailles d'or en 1966 en plus de 5 médailles d'or, 3 d'argent et 1 de bronze qu'il avait déjà gagné dans les compétitions depuis 1954. Les concours d'Haltérophilie furent plus égaux avec 6 pays gagnant des titres dans 7 catégories: l'Angleterre 2, avec Precious McKenzie gagnant le poids coq (jusqu'à 56kg) et Louis Martin qui duplica sa victoire de 1962 dans l'événement moyen de la division de poids lourds (jusqu'à 90kg). Il gagna une troisième médaille d'or dans cette compétition en 1970. Le Pakistan fut le pays de meilleure réussite dans la compétition de Lutte, mas cette fois avec seulement 4 médailles d'or des huit possibles à cause de la compétition ardue de son pays voisin l'Inde, qui gagna trois des événements.

Deux nouveaux sports pour les Jeux du Commonwealth, le Badminton et le tir, furent objets de curiosité naturelle. Dix pays ont été représentés dans 5 événements de badminton: simples pour hommes, doubles pour hommes, simples mixtes, simples pour femmes et doubles pour femmes. Le tournoi fut presque complètement dominé par les joueurs de l'Angleterre (3 médailles d'or, 2 d'argent et 2 de bronze) et de la Malaisie (2 médailles d'or, 2 d'argent et 1 de bronze). Aussi, cinq événements, furent présentées avec réussites mieux distribuées, dans la compétition de Tir: petit calibre (.22), gros calibre (.303), pistolet libre (.22, une balle seulement), pistolet de tir rapide (.22 demi-automatique) et le pistolet de tir central. Les tireurs canadiens, Gilmour Boa et James Lee, finirent par gagner une médaille d'or chacun; de même pour les anglais, Charles Sexton et Anthony Clark, tandis que Lord Swansea gagna l'évenement de fusil à gros calibre pour le Pays de Galles. Les tireurs d'élite des pays qui suivent se sont partagés les médailles d'argent et de bronze, en démontrant une concurrence acharnée dans cette compétition d'inauguration: Australie, Canada, Jamaïque, Nouvelle-Zélande et Papua-Nouvelle Guinée.

Les Cérémonies de Clôture des Jeux de 1966 furent sujets à des rapports incompatibles. Lors de cette 'occasion formelle', "seuls les athlètes gagnants de médailles furent permis de prendre part au défilé de clôture" et ainsi, le scénario d'amitié spontanée et de bienveillance entre tous les participants qui avait terminé les Jeux de Perth, ne pouvait se répéter. De toute façon, les VIIIᵉ Jeux, par eux-mêmes, n'ont laissé aucun doute de réussite.

Dans une réunion de représentants de la Fédération du 7 août, 1966, le titre des Jeux fut changé à Jeux du Commonwealth Britannique et l'offre d'Edimbourg, en Ecosse, comme ville-hôte pour les Jeux de 1970, fut acceptée.

IXᵉ JEUX DU COMMONWEALTH BRITANNIQUE EDIMBOURG, ECOSSE, 16-25 juillet, 1970

Les Jeux de 1970 à Edimbourg furent les plus amples dans l'histoire des Jeux du Commonwealth avec participation de 1095 hommes, 288 femmes et 361 officiels, représentant 42 pays. D'excellentes facilités ont été pourvues par cette jolie ville, spécialement le nouveau centre sportif Meadowbank qui comprend un Stade avec une piste tartan convenable. Les salles de résidence pour étudiants de l'Université d'Edimbourg furent utilisés de "Village du Commonwealth" afin de complètement loger les athlètes (où la nourriture, selon le directeur d'ensemble de l'équipe canadienne, "fut probablement la meilleure jamais servie pendant les Jeux"). Des compétitions eurent lieu dans 9 sports sélectionnés par le comité organisateur en accord avec la Fédération: Athlétisme, Badminton, Jeu de Boules, Boxe, Cyclisme, Escrime, Natation et Plongeon, Haltérophilie et Lutte. Tous les événements de Cyclisme, Natation et Plongeon, Athlétisme et Haltérophilie furent, dès lors, mesurés selon le système métrique et alors, les records du Commonwealth étaient plus aisément comparables avec ceux des Jeux Olympiques. Une autre innovation que l'on doit maintenir de ces Jeux fut la présentation d'un nouveau drapeau de la Fédération faite par le Canada. L'on marcha cérémonieusement le drapeau au Stade pour le hisser au mât. De plus, Sa Majesté la Reine Elizabeth se présenta aux Jeux pour la première fois.

Deux frères écossais commencèrent et terminèrent les Jeux par des spectacles qui leur valurent une médaille d'or chacun. L'aîné, Laughlin Stewart, gagna la course de 10,000m en face de la forte opposition proportionnée par Ron Clarke, Kerry O'Brien et

Naftali Temu, tandis que le cadet, âgé de 21 ans, opposé par le célèbre Kip Keino, gagna la course de 5,000m. Un autre écossais, Ian McCafferty, prit la deuxième place. Tout de même, Keino gagna la course de 1500m avec un minutage de 3:36.6, 1.7 secondes de moins que son record Olympique de 1968. D'autres athlètes africains à en sortir avec des réussites furent Charles Asati de Kenya (2 médaillons d'or et un de bronze) et son compagnon d'équipe, Robert Ouku, qui gagna la course de 800m pour hommes. L'australien, Lawrence Peckham, répéta sa victoire de 1966 dans le saut en hauteur mais cette fois, il devint le premier homme dans l'histoire des Jeux à sauter plus de 7' avec un saut de 2.14m (7' ¼"). De même, Micheal Bull de l'Irlande du Nord sauta plus de 16' dans l'événement de saut à la perche, un autre record de première avec un saut de 5.10m, soit 16' 8 et ¾". L'anglais, Howard Payne gagna le Tir du Marteau pour la troisième fois de suite, établissant un nouveau record de 67.80m (222' 5") pour les Jeux du Commonwealth. Une compétitrice australienne énergique, une écolière, Raelene Boyle, se présenta pour gagner le Sprint double pour femmes ainsi qu'une médaille d'or dans le relais de 4 x 100m. L'australienne, Pamela Kilborn, emporta sa deuxième médaille d'or de suite dans les courses de haies de 100m (80m en 1962 et 1966). Une jamaïquaine âgée de 17 ans, Marilyn Neufville, courut les 400m dans un minutage de record mondial de 51 secondes. Le plus grand drame de ces Jeux eut lieu dans les courses finales de 1500m pour femmes, la néo-zélandaise, Sylvia Potts, qui était à la tête des coureuses, tomba à quelques mètres de l'arrivée pour voir "les autres coureuses la devancer et emporter toutes les médailles".

En moyenne, les événements de natation pour hommes ne furent contestées que par les compétiteurs canadiens at australiens. A la fin de la compétition, l'Australie possédait un total de 18 médailles (6 d'or, 4 d'argent et 8 de bronze) contre 11 médailles pour le Canada (5 d'or, 5 d'argent et 1 de bronze). Le nageur de plus complète réussite fut l'australien Micheal Wenden, qui emporta 4 médailles d'or et une d'argent. Le canadien, Bill Mahony, fut victorieux dans les brasses de 100 et 200m ainsi que dans les relais de quatre styles tandis que son compagnon d'équipe, George Smith, gagna deux médailles d'or et 2 d'argent. Il reste à noter que les australiens prirent première, deuxième et troisième places dans les concours de 100 et 200m de relais à style libre, tandis que les canadiens firent de même dans les compétitions de papillon de 100 mètres. Aussi remarquable est le fait que pendant ces Jeux, le Pays de Galles, avec un total de 5 médailles en natation (1 d'or, 2 d'argent et 2 de bronze), surpassa l'Angleterre qui obtint seulement un total de 4 médailles (2 d'argent et 2 de bronze). L'australien Donald Wagstaff emporta les deux titres pour plongeon (hommes) après être arrivé second en 1966, suivant Brian Phelps et il continua à imiter Phelps par sa réussite dans la même "double" en 1974. La canadienne, Beverly Boys, fit de même dans les deux compétitions de plongeon pour femmes. La force des australiennes en natation dans les Jeux d'Edimbourg fut absolument incroyable. Dans trois événements: le style libre de 400m, le style libre de 800m et

le papillon de 200m, elles gagnèrent les trois places. D'un total de 14 compétitions, elles emportèrent 12 médailles d'or. Les spectacles proportionnés par ces héroïnes australiennes, dans une semaine incroyable, se produisirent comme suit: Karen Moras (16 ans) a battu son propre record dans le 800m et a gagné deux autres médailles d'or; Lynn Watson gagna 4 médailles d'or ainsi que 1 d'argent et de même pour sa compagne d'équipe Denise Langford et, Beverly Whitfield obtint 3 médailles d'or. L'équipe de natation australienne complète (hommes et femmes) accumula un total phénoménal de 20 médailles d'or pendant cette semaine de Jeux.

Les compétitions de Badminton furent une réussite pour le Canada, l'Angleterre et le Malaisie. L'Angleterre emporta toutes les médailles dans les doubles mixtes et les simples pour femmes en plus des médailles d'or et d'argent dans les doubles pour femmes. La Malaisie emporta toutes les médailles de bronze. Le canadien, Jamie Paulson, gagna les médailles d'or dans les simples pour hommes et l'Angleterre prit celle d'argent. La Malaisie gagna les médailles d'or dans les doubles pour hommes avec le Canada emportant celle de bronze. Une extrême agitation suivit l'événement de boules quand le Hong-Kong gagna sa toute première médaille d'or dans les jeux d'à quatre. La course cycliste sur route de 102.3 milles "présenta la plus incroyable arrivée des Jeux" quand deux concurrents "descendirent la dernière pente d'élan vers l'arrivée, leurs bicyclettes accrochées l'une à l'autre..." ... le résultat étant que le Néo-zélandais, Bruce Biddle le vainqueur et l'australien, Raymond Bilney, arrivèrent avec un centième de seconde de différence! La canadienne, Jocelyn Lovell établit un nouveau record dans la course du Scratch de 10 milles, enlevant près d'une minute à l'ancienne marque en plus de gagner les médailles d'argent et de bronze dans d'autres événements. L'Angleterre emporta absolument tous les médaillons de 8 compétitions d'escrime, sauf l'exception populaire de la victoire de l'Ecossais Alexander Leckie dans la compétition individuelle de sabre pour hommes. Pendant ces Jeux, l'anglais, H. William Hoskyns, gagna plus de médailles que n'importe quel autre escrimeur du Commonwealth. En tout, il gagna 8 médailles d'or et 1 d'argent. L'anglaise, Janet Wardell-Yerburgh, sa double victoire de médailles d'or dans les événements individuels et d'équipe de fleuret.

Les Jeux d'Edimbourg furent témoins de la victoire du plus jeune compétiteur à avoir gagné une médaille d'or en lutte—après avoir été "obligé d'obtenir permission" de la Fédération Internationale de Lutte pour faire compétition. Le jeune homme fut Ved Prakash de l'Inde. Il gagna la catégorie légère du poids-mouche à l'âge de 14 ans. Dans les compétitions de ce sport ardu, les titres ont été également partagés entre les deux rivaux: l'Inde et le Pakistan, avec cinq médailles d'or chacun. Le pakistanais, Muhammed Faiz, qui avait gagné les titres dans la classe intermédiaire en 1962 et 1966, gagna la catégorie légère des événements de poids-lourds pendant ces Jeux. La seule autre médaille d'or en lutte fut gagné par le canadien Edward Millard ainsi que 5 médailles d'argent et 3 de bronze. Dans les Jeux de

1970 il y eut 11 catégories de poids dans les compétitions de boxe ou les nations africaines emportèrent 8 médailles d'or; leur enthousiasme et force dans ce sport se démontre par l'analyse des résultats des Jeux d'Edimbourg:

	Or	Argent	Bronze
Ghana	2	-	1
Kenya	1	2	2
Malawi	-	-	1
Nigérie	2	-	-
Tanzanie	-	1	-
Ouganda	3	2	-
Zambie	-	1	2

Parmi les nations qui participèrent en boxe, la nation-hôte, l'Ecosse, emporta 6 médailles démontrant ainsi son énorme succès. Un contraste évident apparut entre cet évènement et les compétitions d'haltérophilie ou aucune nation africaine gagna une médaille; celles-ci étant partagées entre l'Australie et l'Angleterre avec 4 médailles chacune. La seule autre médaille d'or fut emportée par le canadien Russell Prior qui fit un début impressionnant en Haltérophilie.

Après les Jeux quelques exclamations de surprise ont été énoncées en ce qui fut de la compétance démontrée par les hôtes écossais. Mais pourquoi donc? Dans plusieurs endroits du Commonwealth ainsi que dans d'autres lieux, les écossais avaient organisé leurs Jeux populaires des Highlands avec une pompe et dextérité surprenantes pendant plus de cent ans, devant des foules de plus de 30,000 personnes. En tout cas, les expressions d'admiration qui suivirent les Jeux ont dépassé de beaucoup n'importe quel autre commentaire. Les festivités d'Edimbourg de 1970 ont été bien résumées dans *The Official Souvenir Book for the XI Commonwealth Games*:

Ces Jeux ont clairement démontré le bien qui peut sortir de n'importe quelle grande assemblée sportive de compétiteurs de nations différentes. Les coûts de montage de ce genre d'évènements sont astronomiques mais, lors de ces Jeux, les écossais qui sont par tradition des économes, prirent les précautions d'un écolier, nu-pieds et sans soucis, traversant un champ de chardons. Le résultat en valut l'effort puisqu'à la suite des Jeux, les relations internationales des pays-membres du Commonwealth furent renforcées. La puissance de l'Australie, de l'Angleterre et du Canada se heurta en esprit de compétition contre des pays tels que le Hong-Kong, St. Vincent, l'Ile de Man et le Malawi sans en sortir toujours vainqueur. Indiens et pakistanais luttèrent — mais dans la limite de l'esprit sportif et sur la sellette de lutte.

Dans une réunion générale de la Fédération pour les Jeux du Commonwealth Britannique tenue pendant le festival d'Edimbourg en 1970, les prochains Jeux furent donnés à la ville de Christchurch en Nouvelle-Zélande. On fut aussi d'accord qu'à l'avenir la ville-hôte serait sélectionnée six ans avant les Jeux du Commonwealth Britannique pendant l'assemblée de la Fédération qui aurait lieu pendant les Jeux Olympiques.

Xe JEUX DU COMMONWEALTH BRITANNIQUE CHRISTCHURCH, NOUVELLE-ZELANDE, 24 janvier - 2 février, 1974

Aux Jeux de Christchurch en 1974 1,276 compétiteurs (977 hommes et 299 femmes) et 372 officiels représentèrent 38 pays. Encore une fois, neuf sports furent placés à l'ordre du jour mais cette fois, le tir remplaça l'escrime. Le relais traditionnel du message d'ouverture de la Reine fut maintenu mais l'identité du coureur fut secrète jusqu'à ce que le bâton fut porté au Stade de Christchurch. "Une ovation assourdissante" acclama l'athlète néo-zélandaise qui avait tombé juste avant la ligne d'arrivée dans l'évènement de 1500m aux Jeux de 1970. Elle fit un tour complet du Stade avant de présenter le bâton à Son Altesse Royale le Prince Philip. Bien sûr, à cette époque, l'on savait que la ville d'Edmonton en Alberta serait la ville-hôte en 1978 et c'est ainsi que le drapeau canadien fut hissé à côté de celui de la Fédération et du pays hôte des Jeux présents — la Nouvelle-Zélande.

Encore une fois, une grande partie de l'agitation des compétitions de piste et de pelouse fut générée par les prouesses des athlètes africains. Filbert Bayi gagna le premier médaillon d'or pour la Tanzanie par sa défaite du néo-zéalandais John Walker dans le 1500m avec un nouveau record mondial de 3:22.2. Ben Jipcho de Kenya est arrivé troisième dans cette course mais gagna les médailles d'or dans les évènements de 5000m et dans le Steeplechase. Charles Asati, aussi de Kenya, répéta sa victoire de 1970 dans la course de 400m et emporta une médaille d'or aidé de ses compagnons dans une autre duplication de leur victoire du relais de 4 x 100m. Un autre kenyanais, John Kipkurgat, gagna la course de 800m et son compagnon d'équipe Michael Boit y gagna le médaillon d'argent — évènement dans lequel les six premiers compétiteurs ont terminé dans un temps record. Le jamaïquain, Donald Quarrie, "établit le record des Jeux dans les évènements de piste pour hommes" en gagnant le Sprint double pour la deuxième fois, répétant ses victoires dans les courses de 100 et 200m d'Edimbourg (John Mwepi de Kenya arriva deuxième dans le 100m et George Daniels de Ghana entra deuxième dans le 200m). Le sauteur à la perche Michael Bull de l'Irlande du Nord démontra une habileté extraordinaire par sa victoire du Championat du Decathlon, mais le tireur de marteau, Howard Payne de l'Angleterre, gagnant de médailles d'or en 1962, 1966 et 1970, dut se contenter avec celle d'argent cette fois, même s'il avait surpassé sa marque des Jeux précédents. Il fut succédé par son compagnon d'équipe Ian Chipchase qui établit un nouveau record pour les Jeux de 69.56m (228' 2 5/8").

Dans les compétitions féminines, l'australienne Raelene Boyle, de même que Donald Quarrie, répéta sa réussite de 1970 dans le Sprint double. Une autre australienne, Marjorie Jackson, avait atteint ce genre de succès en 1950 et 1954. Il est intéressant de

voir que cette "double victoire dans les sprints pour femmes s'est répété dans chacun des Jeux a date". De plus, Raelene Boyle gagna des médailles d'or dans les Jeux de 1970, 1974 dans les relais de 4 x 100m. Dans ce même relais a Christchurch, les australiennes furent vainqueurs pour la quatrième fois de suite avec résultat global de 5 victoires dans 6 compétitions; l'Angleterre gagna en 1958 et prit la deuxième place à chacune des autres compétitions. Le Ghana arriva troisième dans cet évènement en 1974 et, soi-disant, seulement un dixième de seconde après l'Angleterre. Modupe Oshikoya de Nigérie gagna la médaille d'or dans le saut en longueur pour femmes et celui de bronze dans les courses de Haies de 100m, tous des indications démontrant que les compétitrices africaines commençaient a rivaliser leurs contreparties masculines. L'anglaise, Barbara Lawton, fut la première femme dans l'histoire des Jeux du Commonwealth a sauter six pieds quand elle excéda cette hauteur par un demi pouce dans le saut de hauteur pour femmes. La canadienne, Jane Haist, gagna les lancers du poids et du disque, établissant un nouveau record pour les Jeux de 55.25m (182' 1 7/8") dans ce dernier évènement. Mary Peters de l'Irlande du Nord répéta son acte de 1970 dans la course du Pentathlon; de même pour l'australienne, Petra Rivers, dans le lancer du javelot. L'on ne peut oublier les victoires de deux compétiteurs de l'Irlande du Nord qui, dans le Decathlon pour hommes et le Pentathlon pour femmes, furent particulierement bien méritées, mais surprenantes pour un pays de l'étendue de l'Irlande du Nord.

Encore une fois les nageurs australiens ont proportionné un spectacle étonnant de piscine, gagnant un total de 9 médaillons d'or, 5 d'argent et 4 de bronze dans un total de 15 compétitions. L'australien, Michael Wenden, "est devenu le premier athlète a gagner le plus de médailles pour natation dans l'histoire des Jeux". A la fin des compétitions, il avait amassé un total individuel de 9 médailles d'or, 3 d'argent et 1 de bronze; en plus de détenir le record pour les Jeux dans les compétitions de nage libre de 100 et 200m. De plus, les nageurs australiens emportèrent toutes les médailles dans deux évènements: le style libre de 400m et la brasse de 200m. Leur équipe de relais gagna le style libre de 4 x 100m (4x220 verges auparavant) pour la sixième fois de suite. A côté de l'Australie, il y eut une lutte acharnée entre les nageurs canadiens et anglais; le résultat final étant; l'Angleterre un total de 11 médailles (2 d'or, 4 d'argent et 5 de bronze); le Canada, un total de 10 médailles (2 d'or, 4 d'argent et 4 de bronze). L'équipe canadienne gagna le relais de quatre styles de 4 x 100m (4x220 verges auparavant) pour la troisième fois de suite ainsi que le relais de style libre de 4 x 100m, après avoir été les gagnants des 3 médaillons de bronze dans les trois Jeux précédents. Le néo-zélandais Mark Treffers, enchanta la foule de sa propre nation en gagnant la compétition individuelle de quatre styles dans un nouveau record de 4:35.9 ainsi qu'une médaille d'argent dans le style libre de 1500m. L'écossais, David Wilkie, gagna des médaillons d'or dans la brasse de 200m et dans la compétition individuelle (200m) d'autres styles en plus d'une médaille d'argent dans la brasse de 100m. Il avait accompli cette même réussite en 1970 et avait emporté deux médailles d'argent dans les compétitions de plongeon en 1966.

Ce fut l'équipe canadienne qui, dans les compétitions de natation et de plongeon pour femmes, réussit a dominer pour la première fois. En effet, dans le évenements de tremplin, les compétitrices emporterent toutes les médailles: Cindy Shatto (or), Beverly Boys (argent) et Teri York (bronze)—le premier spectacle de ce genre depuis l'inauguration de cet évenement dans les Jeux de 1930 (l'Angleterre avait fait de même pour les évenements de haut vol en 1958). Tout de même, cette réussite de la part des canadiennes ne fut accomplie sans une lutte acharnée, proportionnée par les australiennes. Le résultat final fut le suivant: le Canada obtint sept médailles d'or, 5 d'argent et 3 de bronze tandis que l'Australie en emporta 4 d'or, 7 d'argent et 3 de bronze— 15 a 14! La canadienne, Wendy Cook, gagna les deux évenements de papillon (100m et 200m) dans un minutage record pour les Jeux et, elle prit part dans la victoire de l'équipe du relais de quatre styles (4 x 100m) qui établit un record pour les Jeux pendant lequel elle établit, personnellement, un record mondial de 1:04.78. La canadienne, Leslie Cliff, gagna deux médaillons d'or dans les compétitions individuelles de quatre styles de 200 et 400m. Sa compagne d'équipe, Becky Smith, est devenue le quatrième membre d'une famille de nageurs célebres a faire les compétitions pour le Canada dans les Jeux (la nouvelle piscine Don Smith des XIe Jeux a Edmonton rend hommage a son père). Elle gagna une médaille d'or dans le relais ainsi que 2 médailles d'argent dans des compétitions individuelles. Une autre canadienne, Gail Amundrud, gagna 2 médaillons d'or dans les relais et un d'argent et de bronze dans des compétitions individuelles.

Les joueurs anglais gagnerent quatre des cinq compétitions de badminton. L'exception fut gagné par Punch Gunulan de la Malaisie dans les simples pour hommes et le canadien Jamie Paulson qui emporta une médaille d'argent. Gillian Gilks (née Perrin) emporta toutes les médailles d'or possibles en gagnant les simples pour femmes, doubles pour femmes en plus des doubles mixtes. Dans les compétitions de boules, l'anglais, David Bryant, est devenu le joueur avec le plus de réussites dans l'histoire des Jeux par sa victoire dans les simples pour la troisième fois de suite. Il avait aussi gagné les compétitions d'a quatre en 1962. L'équipe de la Nouvelle-Zélande emporta les compétitions d'a quatre en 1974 et gagna un médaillon de bronze dans les doubles qui fut gagné par l'Ecosse. Encore cette fois, les nations africaines réussirent en boxe. La Nigerie et l'Ouganda gagnerent deux médailles d'or chacun et le Kenya et la Zambie en emporterent un chacun. L'Angleterre, avec ses 3 médailles d'or en boxe, fut la nation avec les meilleures réussites, mais l'évenement le plus signifiant fut gagné par Frankie Lucas (catégorie de poids intermédiaire) qui emporta la première médaille d'or pour St. Vincent. Les compétiteurs australiens et anglais se disputerent la suprématie dans les sept évenements de cyclisme. A la fin des courses, l'Angleterre

avait 4 médailles d'or contre les 3 de l'Australie mais les cyclistes australiens avaient un total d'ensemble de 9 médailles contre les 8 des cyclistes anglais. De nouveaux records pour les Jeux ont été établis dans le Sprint de 1000m, le Sprint tandem et les compétitions de poursuite en équipe de 4000m. Les compétitions de tir se deroulerent encore une fois a Christchurch avec des concours avec six évenements. L'équipe canadienne en sortit avec le plus de réussites: 4 médailles d'or (gagnées par de différents compétiteurs) et 1 d'argent. Deux femmes, une de Jersey et l'autre de Kenya, avaient fait compétition avec les hommes dans les Jeux de la Jamaïque en 1966 sans avoir atteint le placement. Au contraire, en 1974, l'australienne Yvonne Gowland gagna la compétition de fusil a petit calibre (.22) avec un nouveau record pour les Jeux, réduisant a deuxieme et troisieme place un gallois et un écossais, respectivement.

Dix nations ont partagé les titres dans les compétitions plus égales d'haltérophilie: l'Australie et l'Angleterre gagnerent 3 médaillons d'or chacun. Precious McKenzie et George Newton (tous les deux de l'Angleterre) gagnerent chacun leur troisieme médaille dans la compétition d'haltérophilie. Paul Wallwork emporta la première médaille d'argent pour Samoa dans la catégorie légère de poids lourds. Le canadien Russell Prior répéta sa victoire de médaille d'or de 1970 dans la catégorie de poids lourds en établissant un record pour les Jeux dans le "Snatch Jerk and Total" qui excédait ceux de la catégorie "super" poids lourds dans les Jeux de 1974! En lutte:

> L'Inde gagna quatre médailles d'or, cinq d'argent et une de bronze; le Canada en emporta cinq d'or, une d'argent et deux de bronze; l'Angleterre, trois d'argent; la Nouvelle-Zélande, une d'or et deux de bronze; l'Australie, une d'argent et trois de bronze et l'Ecosse, deux de bronze. Voila une bonne indication de la proximité de la compétition.

Malheureusement, le Pakistan ne participa pas dans les Jeux de 1974, absence qui fut spécialement notée et regrettable dans la compétition de lutte.

Il y aura aussi une autre "absence" dans le titre des prochains Jeux a Edmonton. L'on a décidé lors de la réunion a Christchurch d'omettre le mot "Britannique" dans les futures célébrations. Et alors le Canada, qui avait été hôte pour les "Premiers Jeux de l'Empire Britannique" en 1930 et pour les "Ve Jeux de l'Empire Britannique et du Commonwealth" en 1954, serait le seul pays-hôte de ces festivités uniques à trois reprises et le premier pays-hôte des Jeux sous le simple titre de "Jeux du Commonwealth". Entre-temps, les réussites des Xe Jeux de Christchurch en Nouvelle-Zélande furent apaisé avec les "célébration d'esprit" traditionnelles qui sont maintenant synonymes de "Jeux de l'amitié" et symboles de leur esprit naturel.

ÉPILOGUE ET PRONOSTIC

Et alors, à Edmonton, Canada, pour les XIe Jeux du Commonwealth... L'historique de ces Jeux ne peut être écrite qu'apres l'évenement mais au moment d'écrire ces mots, il se trouve une ample justification dans la déclaration récente de l'Honorable (Mme.) Iona Campagnolo, Ministre canadien de l'Etat pour la Santé et le Sport Amateur:

"Il est indiscutablement vrai que nous sommes sur le point d'être témoins des plus grands Jeux du Commonwealth jamais organisés". A date, un nombre record de 48 pays, représentés par plus de 1500 athlètes, ont acepté des invitations de participation. Il y eut une extrême coopération entre tous les niveaux du gouvernement—fédéral, provincial et municipal—ainsi qu'un appui encourageant de la part du secteur public qui résulta dans un investissement de plus de $40 millions dans ces Jeux. Sans aucun doute, les XIe Jeux du Commonwealth auront les meilleures installations jamais utilisées. Le sport populaire de gymnastique sera présenté pour la première fois et les billets d'accès au spectacle sont presque tous vendus. Les organisateurs ont déja survécu le sévere test politique de la menace des nations africaines de boycotter les XIe Jeux pour ce qui en est du ferment des contacts sportifs avec les nations sud-africaines (l'on se souviendra que plusieurs nations africaines ont organisé une sortie de dernière minute des Jeux Olympiques de 1976, basé sur "l'affaire" de ségregation). Comme Baka et Hoy ont récemment résumé:

> Le boycottage proposé des Jeux de 1978 reflète une solidarité entre les nations africaines. D'autre part, un nombre de questions et de problèmes politiques ont apparamment été surmontés pour le présent et les Jeux du Commonwealth pour 1978 continuent vers leur XIe réalisation à Edmonton. A cet égard, le Canada a joué un rôle important de direction—à l'égard de la préservation de ce majeur festival sportif international et, peut-être même, la viabilité du Commonwealth comme organisme international.

En conclusion, même s'il y aura plusieurs défis qui refleteront un changement de la place du Commonwealth parmi la famille de toutes ces nations, il semble y avoir raison suffisante pour croire que la Fondation des XIe Jeux du Commonwealth (1978), sous la direction ferme du Docteur M. L. Van Vliet, maintiendra et augmentera la superbe tradition du passé.

Gerald Redmond
Université de l'Alberta.

BIBLIOGRAPHIE

Agbogun, J. B. *A History of the British Commonwealth Games: 1930-1966.* M.A. thesis, University of Alberta, 1970.

Arlott, J. (ed.) *The Oxford Companion to Sports and Games.* London: Oxford University Press, 1975.

Baka, R. and Hoy, D. Political Aspects of Canadian Participation in the Commonwealth Games: 1930-1978. *CAHPER Journal,* Vol. 44, No. 4, March - April, 1978.

Bielz, M. Commonwealth Games analyzed. *Champion,* Vol. 2, No. 2, May, 1978.

Canada's Part in the 1970 British Commonwealth Games, Edinburgh, July 16-25. Montreal: Official Report of the British Empire and Commonwealth Games Association of Canada, 1970.

Cooper, J. Astley. An Anglo-Saxon Olympiad. *The Nineteenth Century,* XXXII, September, 1892.

The Pan-Brittanic Gathering. *The Nineteenth Century,* XXIV, July, 1893.

The Olympic Games: What Has Been Done and What Remains to be Done. *The Nineteenth Century,* LXIII, June, 1908.

Griffiths, A. and Redmond, G. Games Perspective. *A Series of Fifteen Articles in the Edmonton Journal, January 17 to July 17, 1978.*

A Historical Record of the Games Leading up to the Commonwealth Games of 1978. Edmonton: History Committee of The XI Commonwealth Games Canada (1978) Foundation, 1978.

Jackson, J.J. Vancouver 1954: "The Miracle Mile" Games. *CAHPER Journal,* Vol. 44, No. 4, March - April, 1978.

McLaughlin, M. Hamilton Hosts The First British Empire Games: August 23 to August 30, 1930. *CAHPER Journal* Vol. 44, No. 4, March - April, 1978.

Mandell, R.D. *The First Modern Olympics.* Los Angeles: University of California Press, 1976.

McWhirter, N. and R. (eds.). *Guinness Book of British Empire and Commonwealth Games Records.* London: Guinness Superlatives Ltd., 1966.

Official Souvenir Book: XI Commonwealth Games, Edmonton 1978 Canada.

Redmond, G. *The Caledonian Games in Nineteenth-Century America.* Rutherford: Fairleigh Dickinson University Press, 1971.

Schrodt, B. Canadian Women at the Commonwealth Games: 1930-1974. *CAHPER Journal,* Vol. 44, No. 4, March-April, 1978.

Technical Handbook: XI Commonwealth Games, Edmonton, 1978.

The Times, October 30, 1891.

Wallenchinsky, D., Wallace, I and Wallace A. *The Book of Lists.* New York: William Morrow and Company, 1977.

The Year of the Games: XI Commonwealth Games, Edmonton 1978. *Edmonton Journal,* January 17, 1978.

The Events
Les épreuves

16

21

The Athletes
L'Athletes

Henry Rono (KEN)
Gold medalist in
men's 5000 m and
3000 m
steeplechase

Henry Rono (KEN),
medaille d' or dans
les 5000 et 3000 m
Steeple Chase,
masculin.

Precious MacKenzie (NZL) Gold
medalist in weightlifting for fourth
time.

P. MacKenzie (NZL), médaille d'or
aux haltères pour la quatrième fois.

33

George Gunouski (CAN) silver versus Christopher Stephens (AUS) 48 kg class.

George Gunouski (CAN) médaille d'argent, contre Christopher Stevens (AUS) dans la catégorie 48 kgs.

Johanne Falardeau (CAN) a member
of Canada's silver medal team.

Johanne Falardeau (CAN), membre
de l'équipe canadienne qui a
remporté la médaille d'argent.

Glen Patching (AUS) Gold medalist in 100 m backstroke.

Glen Patching (AUS), medaille d'or dans le 100 m nage dos.

Debra Forster & Lise Forrest (AUS)

Graham Smith (CAN) 1/100 ths. sec. away
from world record in 200 m Individual medley

Graham Smith (CAN) à 1/100ème de seconde
du record du monde dans le 200 m,
4 nages.

Rebecca Perrot (NZL) setting games record of (2:00.63) in 200 m freestyle.

Rebecca Perrot (NZL) établissant le record des Jeux dans le 200 m nage libre, en 2:00.63.

Debra Forster (AUS) Gold medal in 100 m backstroke, silver medal in 4 x 100 m medley relay.

Debra Forster (AUS), médaille d'or dans le 100 m nage dos, et medaille d'argent dans le relais 4 fois 100 metres 4 nages.

Christopher Snode (ENG) Gold medalist in Springboard and Tower diving events.

Christopher Snode (ENG) médaille d'or de plongeon; au tremplin et à la plateforme.

41

Tracey Wickham (AUS) at the moment
she discovered she has broken the world record
in the 800m freestyle with a time of 8:24.62.

Tracey Wickham (AUS). Elle vient juste de
découvrir qu'elle a battu le record du monde
dans le 800 mètres nage libre avec un temps
de 8:24.62.

Charles Kokoyo (KEN) competing in
decathlon

Charles Kokoyo (KEN) dans le décathlon.

43

Oliver Flynn (ENG) Gold medalist in 30 km walk

Oliver Flynn (ENG), médaille d'or dans le 30 kms, marche.

Jerome Drayton (CAN)
silver medalist in the
marathon

Jerome Drayton (CAN)
médaille d'argent dans
le marathon.

45

Philip Anderson (AUS) gold medal
in Road Race.

Philip Anderson (AUS) médaille
d'or dans la course sur route.

46

Amos Seddon (ENG)

47

John Schofield (PNG)

David John Bryant (ENG) Gold medalist, Lawn Bowling singles.

David John Bryant (ENG), médaille d'or, Bowling sur pelouse, simples.

50

Jean Choquette (CAN) Bronze medal in individual competition and member of Gymnastics Gold medal team.

Jean Choquette (CAN) médaille de bronze en competition individuelle, et membre de l'équipe de gymnastique qui a remporté la medaille d'or.

Graham Smith 6 Gold medals

Graham Smith six médailles d'ors.

Australian men's 4 x 200 m freestyle relay gold medalists.

L'équipe de relais 4 fois 200 metres nage libre, masculin, medaille d'or.

Elisha Kasuku (KEN) in 30 km
walk

Elisha Kasuku (KEN), dans le 30
kms, marche.

54

Azuma Nelson (GHA) Gold medalist
in 57 kg versus silver medalist John
Sichula (ZAM)

Azuma Nelson (GHA) médaille d'or
dans la catégorie 57 kgs contre John
Sichula (ZAM), médaille d'argent.

The Competition
Les compétitions

James Douglas (SCO)

Boxing. Stephen Muchoki (KEN)
decisions Francis Musankabala
(ZAM)

Boxe. Stephen Muchoki (KEN)
contre Francis Musankabala (ZAM).

Karen Page (NZL)

Barry Boyd (CAN)

59

Finish of women's 100 m final

Arrivée de la finale du 100 m féminin.

Gidamis Shahanga #29 (TAN) Gold
medalist leads Marathon pack.

Gidamis Shahanga, numéro 9 (TAN)
médaille d'or, en tête du peloton du
marathon.

Daley Thompson (ENG) Decathlon
Gold medalist.

Daley Thompson (ENG), médaille
d'or dans le Décathlon.

Alison Wright (NZL), Charlene Rending (AUS), Adrienna Smythe (NIR), Anne Mackie-Morelli (CAN) in women's 800 meters.

Alison Wright (NZL), Charlene Rending (Aus), Adrienna Smythe, (NIR), Anne Mackie-Morelli (CAN) dans le 800 mètres féminin.

63

Barb Beable (NZL)

Peter Hadfield (AUS) silver medalist in
Decathlon

Peter Hadfield (AUS) médaille d'argent dans le
Decathlon.

Tight pack in 10,000 meters (later won by #147 Brendan Foster of England)

Peloton serré dans le 10,000 mètres (remporté plus tard par le numéro 147, Brendan Foster, Angleterre).

Diane Jones Konihowski (CAN) Gold medalist
in women's Pentathlon

Diane Jones Konihowski (CAN), médaille d'or
dans le Pentathlon féminin.

Donald Quarrie (JAM) momentarily pulls up from a muscle cramp in 200 meter heat.

Donald Quarrie (JAM) doit s'arrêter un instant à cause d'une crampe, en plein 200 mètres.

Rose Thom[son], [W]ayua Kiteti, and Dinah Chep[.] Kenya in women's 3000 metres.

Rose Thomson, Wayua Kiteti et Dinah Ch[.] l'équipe du Kenya dans le 3000 mètres féminin.

69

Alan Drayton (ENG) Decathlon
Bronze medalist.

Alan Drayton (ENG), médaille de
bronze dans le Décathlon.

Raymond Katting (NZL) in red versus silver medalist Jagminder Singh (IND).

Raymond Katting (NZL), en rouge, contre Jagminder Singh (IND) médaille d'argent.

Gold medalist Richard Deschatelets (CAN) in red, Ivan Weir (NIR)

Richard Deschatelets (CAN), médaille d'or, en rouge. Ivan Weir (NIR).

Gold medalist Egon Beiler (CAN) in blue versus Bronze medalist Brian Aspen (ENG) in 62 kg class.

Egon Beiler (CAN), médaille d'or, en bleu, contre Brian Aspen (ENG) médaille de bronze dans la catégorie 62 kgs.

Ray Takahashi (CAN) versus Kenneth Hoyt (AUS) 52 kg class.

Ray Takahashi (CAN) contre Kenneth Hoyt (AUS) dans la catégorie 52 kgs.

Robert Kabbas (AUS) setting new games record in 82.5 kgm weight class.

Robert Kabbas (AUS) établissant un nouveau record pour les Jeux, aux poids, dans la categorie 82.5 kgs.

Bill Stellios (AUS) Gold
medalist in 67.5 kg
weight class.

Bill Stellios (AUS),
médaille d'or aux poids
dans la categorie 67.5
kgs.

76

Robert Santary (CAN)

Gold medal tandem team of Jocelyn Lovell and
Gordon Singleton (CAN) versus Ron Boyle and
Stephen James Goodall of Australia.

Le tandem Jocelyn Lovell et Gordon Singleton
(CAN) qui a remporté la médaille d'or contre
Ron Boyle et Stephen James Goodall de
l'Australie.

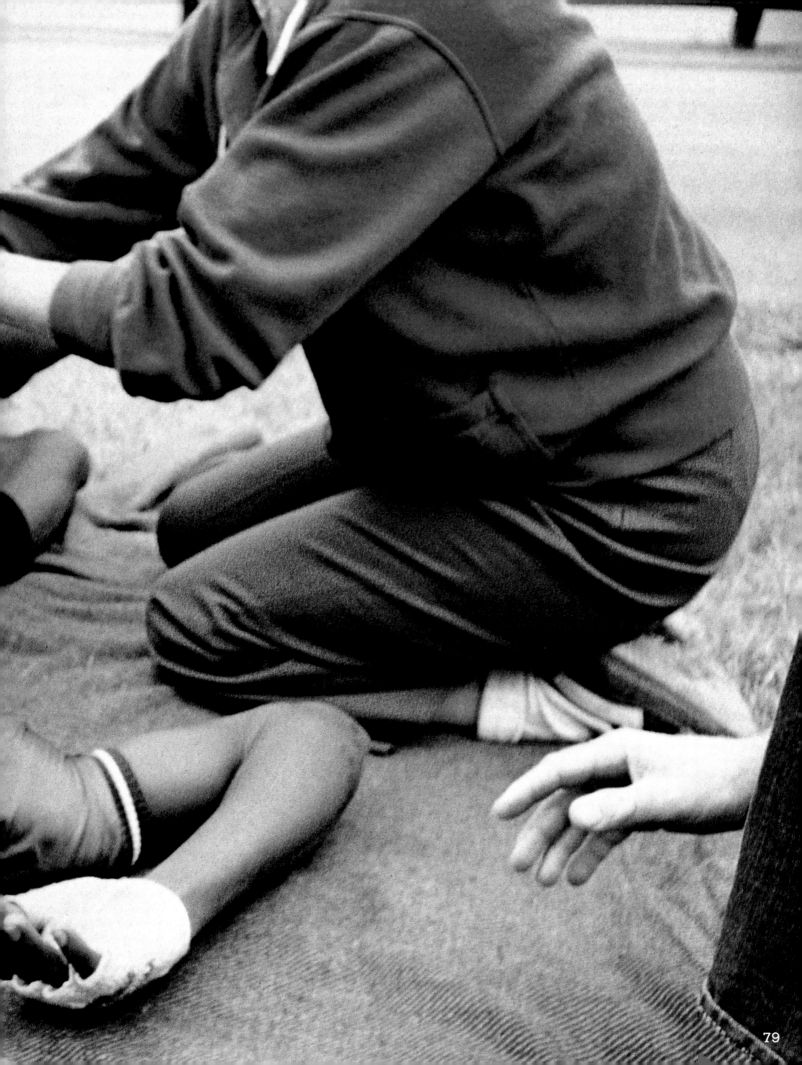

Monica Goermann (CAN) silver medal in women's Individual Gymnastics.

Monica Goermann (CAN), médaille d'or en gymnastique individuelle, féminin.

Philip Delesalle (CAN) Double Gold
medalist.

Philip Delesalle (CAN) 2 fois
medaille d'or.

Karen Kelsall (CAN) a member of Canada's Gold medal
women's gymnastics team.

Karen Kelsall (CAN), membre de l'équipe féminine de
Gymnastique qui a remporté la médaille d'or pour le
Canada.

John Czich (CAN) member of silver medal team.

John Czich (CAN) membre de l'équipe qui a remporté la médaille d'argent.

Barbara Anne Beckett & Dorothy Cunningham (NIR)

85

Eric John Liddell (HKG) captain of gold medal Pairs team.

Eric John Liddell (HKG) Capitaine de l'équipe de double.

Glenda Robertson (AUS) Bronze medalist in women's 200 m backstroke.

Glenda Robertson (AUS), médaille de bronze en 200 metres dos, féminin.

Graham Stigant (MAN)

88

Margaret Mary Kelly (ENG) Bronze medal in 200 m breaststroke 4 x 100 medley relay.

Margaret Mary Kelly (ENG) médaille de bronze dans le 200 m, brasse et dans le relais 4 fois 100 mètres 4 nages.

Barbara Shockey (CAN).

David Snively (CAN)

Duncan Goodhew (ENG) silver medalist in
100 m, 200 m breaststroke and 4 x 100 m
medley relay.

Duncan Goodhew (ENG), médaille d'argent
dans le 100 m, 200 m, brasse et dans le relais
4 fois 100 metres 4 nages.

Graham Smith (CAN) in Breaststroke

Graham Smith (CAN) en brasse.

Lisa Forrest (AUS) silver in 200 m
Backstroke

Lisa Forrest (AUS), médaille
d'argent dans le 200 m nage dos.

94

Lacrosse — Demonstration Sport.

Lacrosse — Sport Démonstration.

The Finale
La finale

96

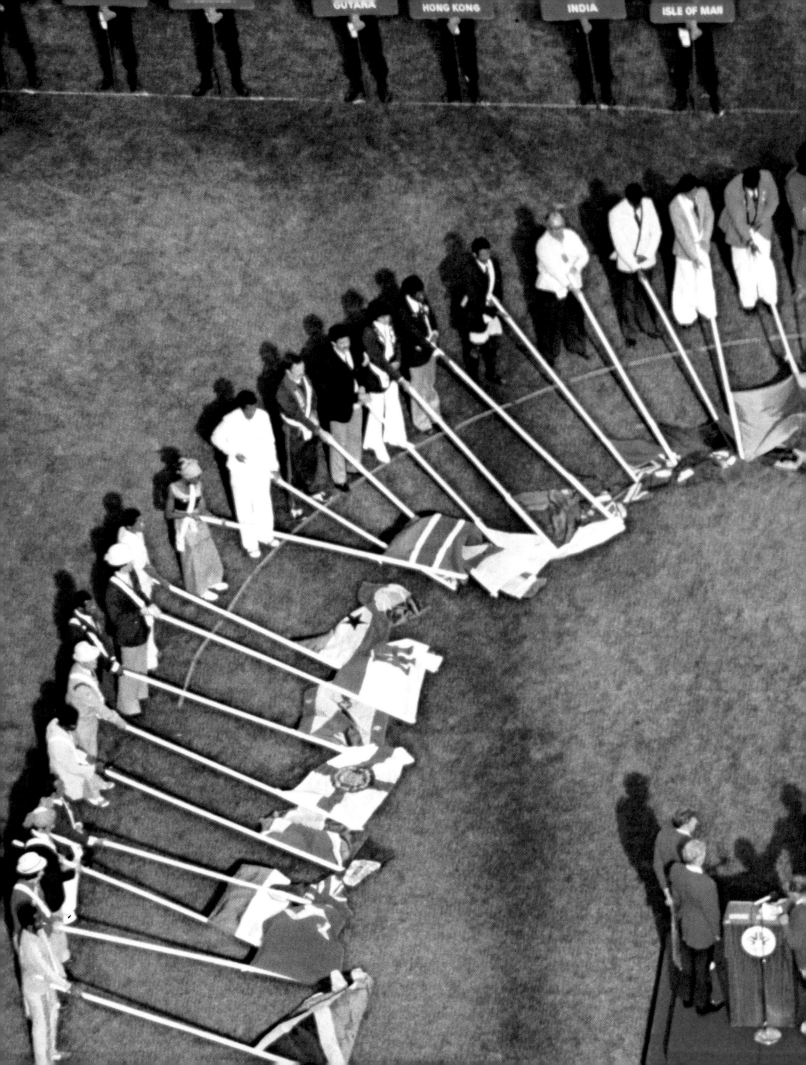

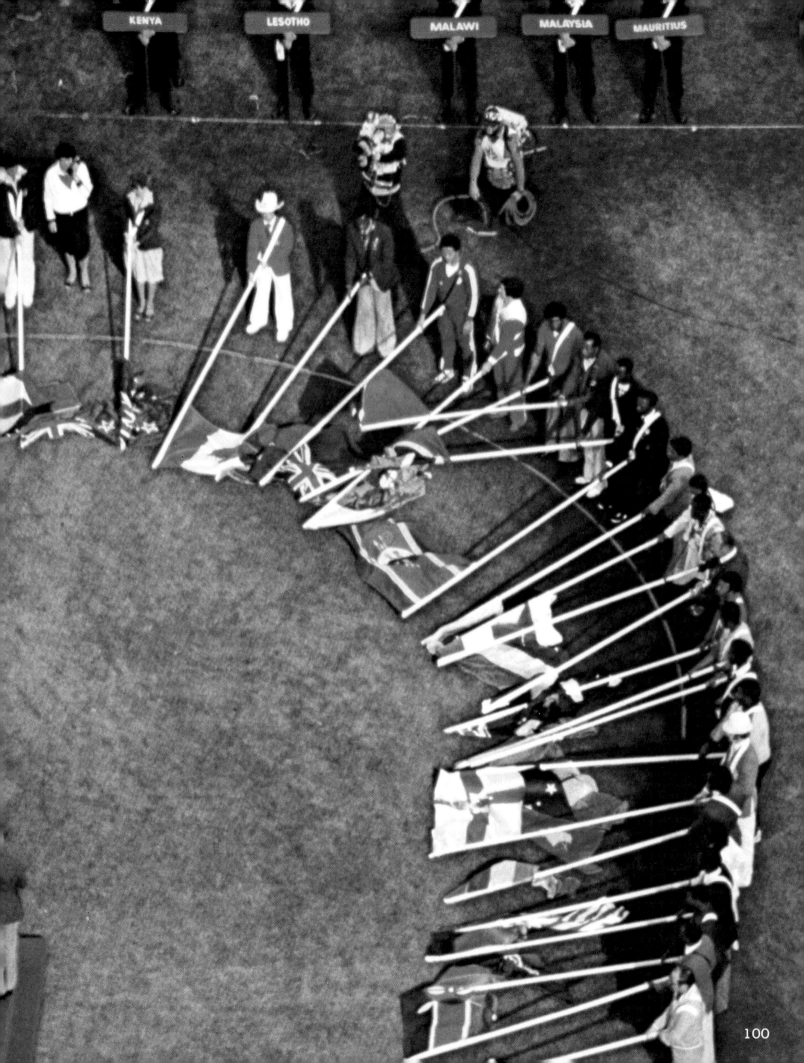

COOK ISLANDS CYPRUS ENGLAND FIJI

102

XI Commonwealth Games

DAY ONE.

Most of the great military battles of history have undoubtedly been planned with very similar precision to the Opening Ceremonies of the 11th Commonwealth Games—a fitting reason for the presence of four Lieutenant Colonels in key positions at the top of the ceremonial organizing committee.

Only an inside organizer can truly appreciate the timing of a Royal arrival, the reviewing of the troops, and the clearing of the field with the following fanfare that must fade split seconds before "the Snowbirds" (The armed forces precision Jet Display team) swoop across the field at close to 600 miles an hour.

Then there's the timing of the busses bringing the athletes from the Village at the University of Alberta, programmed to the minute so the athletes can avoid hours of simply standing around in the sun. The worst possible thing for athletes on the eve of one of the most important competitions in their lives.

Everything has to be just so, to pull it off properly, including the weather, over which no one has the slightest control. In the City of Edmonton . . . on August 3, 1978 . . . it all came together perfectly.

There may have been days, dating all the way back to the inaugural Commonwealth Games in Hamilton in 1930, when the weather was as nice as it was in Edmonton on August 3, but there couldn't have been a nicer one. There simply was not a single cloud in the sky . . . the "big sky" of the Canadian West.

And what a show it was, by far the most extensive in Commonwealth Games history, to the delight of the 42,500 in the stands and millions more watching it live on television in Canada, Great Britain, Australia, and New Zealand. Within 92 hours the opening was in the hands of television networks in every corner of the Commonwealth.

The show opened with complete military precision with the entrance of Lord Strathcona's Horse (Royal Canadians) regiment sweeping down the marathon ramp in the company of the Canadian Forces Band. It continued with precise protocol through anthems and flag raisings for 20 minutes.

Well, it was almost precise. The Royal Standard did get snarled on its pole atop the south end of the Stadium, and didn't fully unfurl until a military flag party jiggled at it for 45 minutes. But no one noticed, least of all the Queen and Prince

Philip who drive around the track waving enthusiastically and receiving a tumultuous welcome in return.

Then the big show began with hundreds of high schoolers dressed in red, white, and blue jumpsuits dancing through Canada's Salute to the Athletes, finishing with a beautiful full field human personification of the Canadian flag.

Next it was the turn of Canadian history to unfold in dance form with Indians, the French Courier des Bois, the Scots, and the Ukrainian dance groups following close on each other's footsteps.

Finally, an hour and 15 minutes into the show it was the turn of the athletes and team officials, more than 1,200 of them (first day performers are usually excused) led into the stadium by New Zealand, the previous host country.

The militarism of it all was gone in a moment as team after team among the 46 delegations swept down the marthon ramp into the stadium. Marching? Forget it! Commonwealth civilians, and particularly Commonwealth athletes, are the antithesis of the Commonwealth military. Most walk along self-consciously rubbernecking the packed stands and soaking up the grandeur of the occasion. Some take pictures, others wave at their friends and a few even walk backwards for awhile to see where they have been.

All were distinctive, all were unique, and in their own special way, all were delightful, from Africans in tribal ceremonial dress on down to the host Canadians with their traditional western Canadian cowboy hats. Theoretically there was a strict protocol for passing the Royal party with the flag lowered in respect and "eyes right" from the marchers with all men's hats removed and held over the left breast.

Somebody from Jersey forgot all about his hat, however, and the Canadians waved theirs excitedly instead. The Tanzanians did a goose step that looked very officious by the Team officials at the front of the delegation. But degenerated into a boogie by the athletes at the back of the Tanzanian line who vigorously swung their rumps in time to the music.

The crowd loved every minute of it.

Antigua, whose athletes were still enroute, was represented by relatives, friends, and houseguests of former Edmonton football star Rollie Miles who was serving as the attache for the Swaziland team. Ian Wooldridge, the columnist

of the mass circulation London Daily Mail, marched in as the honorary publicity officer of the Cayman Islands team, and admitted that even he, the hardened Fleet Street Journalist that he is, felt the overpowering emotion of the moment.

Edmonton's Diane Jones-Konihowski said she "felt" more than "heard" the roar of the crowd when she trotted into the stadium in possession of the Queen's message, a small piece of paper contained in a Narwhal tusk that had been specially carved by Innuit craftsman Nick Sikkuark in the Canadian north.

The message had begun its journey to Edmonton, eight days earlier when the great Kenyan runner and Christchurch Games hero Ben Jipcho had started it off from Buckingham Palace in London.

In it the Queen noted that 50 years had passed since the first decision to stage the Games had been reached at the 1928 Amsterdam Olympics. She thanked Edmonton for the organizational effort, and praised the rivalries and friendships of sport for showing "some of the best qualities of man".

That said—the Queen—acting in this role for the first time ever, declared the 11th Commonwealth Games to be officially open.

Then the ceremonial Games flag was passed from Christchurch to Edmonton and raised to the top of the pole in the south-east corner of the field, accompanied by an 11-gun salute in honor of the 11 Commonwealth Games. Veteran diver Beverly Boys then took the Oath of the Games on behalf of all competitors.

The Royal party left, the athletes marched back out through the marathon gate to their busses for the journey back to the Village. The official party left, while thousands stayed on for a closing concert from the Massed Pipes and Drums of Alberta.

DAY TWO

Nigeria withdrew from the Edmonton Games just a week before the opening in continuing protest over New Zealand's sporting relationships with South Africa Precious Patrick McKenzie, the tiny 4' 11" weightlifter, the living embodiment of the spirit of the Commonwealth Games, since Kingston Jamaica, was close to tears.

Precious P., who today still stands as the only athlete ever politically "banned" by the South African government, is the man who helped to start the whole South African fuss in the first place in the Cardiff Games of 1958. And now 20 years later, he had come to Edmonton to try and become the first athlete in Games history to win four consecutive gold medals. He had come in the colors of New Zealand, the country he had fallen in love with at Christchurch in 1974.

Back in 1958 Precious, who received his strange name when as a baby after he survived a post-birth bout of double pneumonia, which doctors were sure would prove fatal, became the first non-white athlete in South African history to show demonstrably better performances than his white counterparts. He was not selected for the 1958 South African team to Cardiff—and when the man who was selected, Reg Gaffley, went on to win the gold medal a huge international fuss ensued with a lot of leverage from the British press.

"Here he was, the Commonwealth champion," says McKenzie, "and he wasn't even the best in his own country."

What followed was a two-year battle to try and get McKenzie onto the South African Olympic team for Rome in 1960. There was pressure from the International Olympic Committee, and finally an offer of a place if he would quit his club and take a non-member special affiliation with a whites-only club.

"They wanted me to be a stooge of theirs to show their willingness to integrate sport without integrating it at all," says McKenzie, "and when I wouldn't go along with it, I was not selected for the Olympic team."

By the 1962 Games in Perth, South Africa was out of the Commonwealth. Two years later Precious was out of South Africa when his employer in the shoe business transferred him to London. He still wasn't a member of the English weightlifting team simply because South Africa, suspecting he was up to something, had refused to give him a South African passport. Finally, a special act of the British Parliament granted him a British passport just in time to compete in the 1966 Games in Jamaica.

He won the gold and immediately became one of the most popular athletes in British sports history. He even played a delightful cameo role in Visions of Eight, the official film of the 1972 Munich Olympics.

"My friends in South Africa never got to see that film,." he says, "because it was reserved for showing to white audiences only. South Africa has not really changed much since I left, at least not in any fundamental way, but the world-wide sports boycott is hurting them badly. What I hated to see here in Edmonton, though, is

Nigeria hurting itself. Their pullout from these games is silly."

That said, Precious P. moved to centre stage in the 56 kilogram class— (with the Queen sitting through the entire performance at her own special request)—and hoisted 270 pounds over his head for the required amount of time to win his fourth consecutive weightlifting gold medal. Moments later he collapsed with severe stomach cramps showing what a near thing it really was.

"I developed terrible cramps," he admitted, "thanks to an overdose of sustylite, a substance that replaces salt in the body. When you take too much it has an opposite reaction, a dehydration sending all the liquids to the stomach. Oh, such cramps."

And yet, on the victory stand afterwards, he was once again every inch the showman with a huge smile and four fingers held aloft on both hands. How many were thinking that had it not been for his own country's apartheid policy it could have been six!

The McKenzie drama, tense as it was, was far from being the only drama on the opening night of the Games, however. Out at the cycling track the top riders in the English-speaking world were battling the elements in the 1,000 metres individual time trial even. The "kilo" is a seeded cycling event with the best riders given the advantage of riding last so they know exactly what they have to beat to win the medals. That's why no one was particularly concerned in the early going when Australia's Kendrick Tucker posted a 1:06.96, good for the early lead but almost sure to fall in the final few minutes of the program when the "names" would be riding.

The planning did not allow for delaying rains and rising winds, however. For awhile it looked like the entire program would be cancelled for failing to finish prior to midnight.

When riding, again became marginal, well after 10 p.m., the top seeds were having a hard time coming within two seconds of Tucker's early posting. Then Canada's Jocelyn Lovell came out, second to last among all the riders. He flew around the first turn, bike wobbling slightly, body erect and driving, and then rushed two-thirds of the way down the backstretch before settling into the saddle.

Lovell's timing was perfect, in this event where the slightest miscalculation can lose it all in the last 200 metres. When he flashed under the timer in 1:06.00 for the gold, the Canadian veteran capped the greatest single ride of the cycling portion of the Games. This set the stage for a second gold riding in tandem with teammate Gord Singleton, and a third in the 10 mile track race with

yet another incredible final lap burst of speed and power.

DAY THREE

Graham Smith was like a mechanical man when it came time to strip off the sweatsuit for the finals of the men's 400 metres individual medley swim shortly after 2:20 p.m. on Saturday afternoon.

He was extremely nervous, not quite literally shaking, but certainly far more tense than he had ever been before any swim in his life, and with reason.

After all this was the Dr. Donald F. Smith Memorial Pool, the brand new Games facility named for Graham's father who had pioneered competitive swimming in the City of Edmonton. The father who had died of cancer 23 months earlier, lived just long enough to see his son and daughter Becky, fighting for medals in the Montreal Olympics.

The doctors initially did not think Don Smith would live long enough to see the Olympics, but he did, just, and Graham did just miss medals he might have won by twice going out too fast in both the 100 and 200 metres breaststroke events. A brash youngster from the Canadian west who had come oh so close to knocking such renowned world record holders as John Hencken of the United States and David Wilkie of Britain.

And now here it was, 25 months later, less than a year after a world record had come and then gone in the 200 medley. The new star of the University of California Golden Bears swim team was swimming at home with all the pressure on in the Commonwealth Games.

"Graham will win in Edmonton," everyone had been saying, and indeed, as he quietly stripped off his sweatsuit on this humid afternoon, hometown photographers moved for prime positions near the finish line.

Even the Queen had been scheduled for this one, one of the carefully preselected events where she would personally present the medal. Graham had seen that information on the protocol sheet the day before, another fact which couldn't have helped his nerves.

How much of the weight of the world can any of us expect one young athlete to carry around on his shoulders?

The 400 metres individual medley is an event that requires swimmers to swim the butterfly for the first 100, then whip over onto their backs for the next 100, switch to breaststroke for the third, and then power home with what is left in freestyle.

This time Toronto's George Nagy led the field through the first 100, before giving way to England's Simon Gray, a transplanted South African student-athlete, in the backstroke. But Graham's first two splits of 1:00.72 in the butterfly and 2:09.33 in the backstroke were the best he has every recorded. On the breastroke leg, his specialty, he moved confidently past Gray to take the lead with 100 metres to go.

These final 100 metres might have been the longest 100 metres of Graham Smith's life.

20 minutes later the queen draped a gold medal around his neck and shook his hand to the explosive cheering of the hometown crowd. Graham Smith forgot all about Royal protocol by grasping the Queen's hand firmly in one hand and waving delightedly to the crowd with the other.

This was the first of four individual gold medals Graham Smith was to win in these 11th Commonwealth Games. With two more from the relays, for a total of six, producing the greatest individual swimming event in Games history. A feat topped only by Mark Spitz' remarkable seven in the Munich Olympics of 1972.

But none of them was as tough as that first one on Saturday afternoon. From the 400 metres onward, Smith was simply a determined youngster as he came to the starting line in race after race.

Another determined youngster was in the pool Saturday night for the only world record of the entire Edmonton Games. Australia's 15-year-old Tracey Wickham is a girl with the ability to dive into a pool and swim repeats of 63 seconds or less per 100 m on her way to the finish line in the 800 metres. To really appreciate the meaning of this, one has to understand that the women first started swimming the 100 metres under a minute at the Christchurch Games in 1974!

Tracey, who was pushed to the limit in Edmonton by her own 15-year-old teammate Michelle Ford, actually turned in laps of 62.5, 63.9, 63.8. 63.9, 63.3, 62.8, 62.4, and 61.9 on the way to shattering her own world record of 8:30.53 with an 8:24.62. Even she was amazed by it all, although she had hoped to break the record with an "8:28 or an 8:29" since she had come into the race "planning to save a little for the upcoming world championships in Berlin."

And the secret?

"It's the daily competition," says this little gamin who likes to get into a rhythm, pick out a pop song, and sing her way through the whole arduous affair, "The daily training with Michelle."

Indeed, it must be. Miss Ford won the silver in 8:25.78 as the two of them, in pure comparative time, posted the single best performance in the entire 11th Commonwealth Games.

Meanwhile, all around them, head to head competition between Canadian and Australian swimmers heated up. The battle had been joined on Friday night by

Canada's 15-year-old Carol Klimpel, a girl who had competed at the national level only once in her life. Carol won the 100 metres and then continued right on to pace the 400 metres freestyle relay on Saturday. The Aussie men bounced right back in the 200 m freestyle be sweeping all three medals, led by 17-year-old Ron McKeon, the winner, in an excellent time of 1:52.06.

Thanks to supporting help from New Zealanders like Rebecca Perrot in the butterfly and England's Sharon Davies in the 200 m and 400 m individual medleys Canada's 15 gold medals in the pool prevailed over Australia. Both New Zealand and England showed great future swimming promise throughout the Games.

DAY FOUR

If the track and field phase of the Edmonton Commonwealth Games is remembered for any one thing in the future, it might well be as the Games where the multiple events finally came into their own.

Well over 30,000 fans were in the stands Sunday, and they came early to view with interest as the hometown girl, Diane Jones-Konihowski, set about the task of winning the gold medal in the women's pentathlon. A grueling daylong grind that starts with the 100 metres hurdles, moves on to the shot put, then the high and long jump, before finishing with the very demanding 800 metres.

It's a testing combination of flexibility and coordination (hurdles), strength (shot put), technique (high jump), speed and power (long jump), and endurance (800 metres). Many strong pentathletes would have a tough time making their national teams in any of the five individual events.

But the really great ones can make it in several. Munich Olympic favorite Heidi Rosendahl of West Germany was tops in the long jump and also held off the closing drive of double Games gold medalist Renate Stecher of East Germany to give West Germany the gold in the 400 metres relay.

But Heidi lost the Munich pentathlon title by the incredibly narrow margin of 10 points to Belfast's Mary Peters, who in turn went on to win the gold in the Commonwealth Games in Christchurch and set the Games record in the process with a score of 4,455.

Diane Jones was just a youngster in her first big international competiton back in the Munich Olympics, almost an afterthought behind teamate Debbie van Kiekebelt of Toronto. But Diane, without pressure, went out and posted personal bests in all five events to finish in tenth place.

It was modest, yes, but the performances were promising even if the full

promise wasn't realized until the Games of Edmonton when an incredible 4,768 easily eclipsed the record of Mary Peters, on a day when Mary was sitting in the press section working as a commentator for the BBC. Even Mary felt that the Edmonton crowd might have been getting a first peek at the 1980 Olympic Champion.

"All Diane has to do now," says Mary, "is keep training and avoid injury."

That might be hard to do for one who seems to go best when she's right in the thick of the action. After all this time around, Diane didn't just march in the parade with the rest of the athletes, she carried the baton with the Queen's message, and then stood at the feet of Royalty while it was read to the world. Later that night she guided Prime Minister Trudeau around the Games Village with the two of them finishing off the night with 45 minutes in the discotheque. All that less than 60 hours before the competition of her life.

The day started well with a 13.85 in the hurdles, a better time than she would do later in the week in the individual event when she hit a hurdle with her knee. Diane then put the shot 14.87 metres which is beneath her best by almost a metre, but very satisfactory in light of the 20 pounds she lost this year while trimming down for better 800 metres, long jump, and high jump performances. That's the damnable thing about the multiple events, every time you alter your body to help one event you invariably take something away from another.

Diane's high jump will be remembered for a long time to come. Normally she jumps around 1.75, or 1.78, or maybe even 1.80 although she has always had the potential to go higher. This time she just kept clearing the bar, up and up, and up, until she had cleared 1.88, or 6' 2". A performance that exceeded the existing Commonwealth high jump record by four centimetres and would have won the bronze in the open event at these Games.

Then she long jumped 6.41 metres, or 21' 5/8", a leap that would have finished well up in medal contention there, also. Finally, she ran the 1,500 metres in a personal best of 2:11.5, a second and a half faster than she had ever run it before, to claim the gold by 546 points over England's runner-up Sue Mapstone.

It's a very rare Commonwealth Games that has two hometown medal stars like Diane Konihowski-Jones in track and Graham Smith in swimming. They came out of the Games as Canada's 1978 male and female athletes of the year without doubt.

While all this was going on the men's 10,000 metres run was giving the first indication that the 2,200 feet of altitude and dry air of Edmonton would create a condition that would force real mediocrity into the times of the distance runners. Mediocrity unknown at the international level except for the high altitude competitions in Mexico City during the 1968 Olympics and 1975 Pan American Games.

England's Brendan Foster made his big move with three laps, or 1,200 metres to go, by dropping his pace from close to 70 seconds a lap all the way down to a steady 63. Within 600 metres it was over, Kenya's Michael Musyoki had been dropped, and it was only a matter of fighting it on to the finish in a slow 28:13.7 for the gold.

The immediate thought was to blame the heat with Foster noting that it had been so hot he had "not even bothered warming up."

"As we were going along my mouth got so dry I had to keep licking my lips to get some moisture. When the 5,000 metres went in 14:04 I was worried because the pace was not fast, and I was feeling terrible. But then I looked around at the others and they looked worse. Tony (Simmons of Wales) was already drifting on the track and Blackie (England's David Black) had obviously had it. When I saw that I started to feel better."

In the final 400 metres Foster started to feel very good indeed. He started feeling like the best 10,000 metres runner in the Edmonton Commonwealth Games.

Meanwhile, in the pool, Canada moved ahead of Australia seven golds to three on the strength of wins by George Nagy of Toronto in the 200 metres butterfly and Pointe Clair's Wendy Quirk in the 100 m butterfly for women; while New Zealand's Garry Hurring pulled the really big upset by beating Australia's Glen Patching in the 200 metres backstroke, dropping his personal best by four seconds in a Games record 2:04.34.

Hurring's father, Lincoln, was having a hard time concentrating on his job of TV color commentator for the New Zealand television broadcast.

And England's Chris Snode, the reigning NCAA diving champion from the University of Florida won the three metres springboard event on his way to a gold medal upset sweep of both men's diving events.

DAY FIVE

Even today Olympic historians argue that Jesse Owens is the greatest individual amateur athlete in history, the one man whose times and distances stand up as competitive even today, more than 40 years later.

The historians are statistically correct, but, the Edmonton decathlon—the incredible two day task of 10 events of strength, speed, power, flexibility, and

endurance—has finally produced a bona-fide challenger.

Daley Thompson, who was 19 when he arrived in Edmonton just over a week before the Games, and a just-turned 20 when he went to the starting line for Monday's 100 metres, the first event of the ten is already the greatest all-round athlete in the history of the Commonwealth. And, he is in an event where the great ones peak at an age much closer to 30 than 20.

Owens ran 10.3. Thompson ran 10.5. Owens, whose world record in the long jump stood for 25 years, jumped 8.06. Thompson, with just enough wind to make the jump technically illegal for record purposes, jumped 8.11, or 26' 7" the longest jump in the history of decathlon competition. Beyond that he pole vaulted 4.80, a height (15' 9") that several vaulters had trouble with in the open competition. He high jumped 2.07 (6' 9½") in an event where the first Englishmen to clear 7 feet have only done so since the Montreal Olympics.

When it came to the 400 metres, running against a very strong wind that was swirling in the face of the runners for 300 of the 400 metres, Thompson covered the distance in 47.85, just over a second off the gold medal time in the open event, a clocking that would have given him seventh place in the open event.

Daley's first day score of 4,550 was the highest in the history of first day decathlon, more than 100 points ahead of Bill Toomey's old record set prior to the days of Bruce Jenner's heroics.

Sure he slipped a little coming home the second day, but only through lack of technique in the javelin and the discus, and even with that his final point total of 8,454 was the second highest in history ahead of Russia's Nikolai Avilov, ahead of west Germany's Guido Kratschmer, the Montreal Olympic silver medalist, and behind only the 8,618 posted by the prodigious Jenner in Montreal.

Daley Thompson could be the one great British track and field hope for the 1980 Olympics in Moscow. He could also be the one to bring a change in the way top amateur athletes are supported in Great Britain. When he won the gold in Edmonton he let it be known that he was without future financial support and would probably have to opt for a U.S. college sports scholarship. Within hours he had 25 of those laying on his bed in the Games Village dormitory.

By the following morning he had a sponsor—and an anonymous one at that—willing to step quietly forward and take care of Daley Thompson's future athletic expenses. That was a very positive move for Britain. If he can avoid injury Daley Thompson is going to be one of the rare jewels of British sports history.

And some will certainly remember that he made his debut in Edmonton.

What's more, on the day he did it, he overshadowed one of the great sprinting stories of Games history as Jamaica's Don Quarrie and Trinidad's Hasely Crawford staged a rematch of their classic Montreal Olympic 100 meters final. In Montreal it had been Crawford who won by inches and then the huge football sized star Crawford led an incredibly joyous victory lap. In Edmonton, though it was Quarrie by a photo finish not only with Crawford but with Scotland's Allan Wells as well. The Scot, who is now coached by his wife and who spurns the use of starting blocks, was the sprint sensation of the Games as he went on to collect two golds in the 200 metres and 400 metres relay.

Quarrie's dream of a third straight set of back to back gold medals in the 100 and 200 metres sprint went aglimmering in the 200 metres semi-final when he had a muscle spasm coming off the turn and slowed perceptibly for three strides. He came on again at the finish but missed the final by a step.

Hopes for a similar sprint triple in women's sprinting for Australia's Raelene Boyle also fell short on Monday afternoon when Boyle, coming off a tendon injury, could do no better than the silver behind England's Sonia Lannaman. Lannaman won by a clear stride in a very good 11.27 seconds.

In the pool Canada's Graham Smith was winning his third and fourth gold medals with a Commonwealth record of 2:05.25 in the 200 medley and a Games record of 2:20.86 in the 200 breaststroke while fighting off a stern challenge from England's Duncan Goodhew. Smith did not catch Goodhew, an excellent 21-year-old from Sussex, until he came off the wall in the final 50 metres. Canada's Linda Cuthbert was an upset winner in women's diving with a beautiful display of disciplined diving, and Carmen Ionesco, who defected to Canada after the 1972 Munich Olympics made it a huge medal day for the host country by winning the discus in a Games record 62.16 metres.

DAY SIX

The first time you see Henry Rono you are struck by his shyness, his gentleness, his incredibly soft speech, and his desire for anonymity, a strange desire indeed from track's newest world class superstar.

To see him run is to marvel at his grace, his fluid stride, his amazing oxygen uptake capacities that allow him to run on and on, effortlessly and virtually soundlessly as if the very fact of his breathing can be suppressed at will. If you closed your eyes and stood three feet from the track you probably wouldn't even be aware that he had gone by.

In his earlier days, in his native Kip-taragon in the Nandi Hills amongst the Kalenjin people high in Kenya's Rift Valley Henry Kipwambok Rono would have been a warrior sublime, a man with many wives, and the hero of great cattle raids.

In the Edmonton Commonwealth Games he was simply the finest distance runner in the world, a man capable of making half a dozen of the top ranked 5,000 metres and 3,000 metres steeplechase runners look utterly common as he toyed with their serious pace, running behind them, running even with them, and then sprinting ahead at will to earn standing ovations from the more than 40,000 track fans who knew greatness when they came across it in spite of very average times.

The times of the Rono gold medals, 8:26.5 in the steeplechase and 13:23.04, were nowhere near his world records of 8:05 and 13:08 but when you consider the wind, the slight 2,200 foot altitude of Edmonton, and the dry air, to say nothing of the huge distances between Henry and the silver medal winners they were very special races indeed.

In most respects they were the great foot races of the Edmonton Games, races that left people talking to themselves and wondering just what manner of man this Henry Rono is, this student of Washington State University who spends his mornings and evenings running up and down the Snake River canyon near the spot where Evel Knievel once tried to jump the canyon on a rocket powered motorcycle.

Henry Rono, and in fact all of the great Kenyan and Tanzanian runners are products of their home environment in an area many people consider the most beautiful in the world, the magnificent Rift Valley of Africa.

The anthropologists now know that this part of the globe was first settled by the Cushites, a Caucasoid race who came south from the headwaters of the Blue Nile in Ethiopia. They were the first people to feel at home in the rarified 5,000 to 8,000 foot altitude setting with its rolling gentle pastoral lands.

The Cushites were followed by the Nilotes, a slender black race who emigrated south and east from the Sudan, and preceded by the Bantu immigration coming north through Kenya and Tanzania from the southern part of Africa.

Today the great majority of the population of both countries are Bantu—the Kikuyu and Masai tribes in Kenya—but with the exception of Edmonton 1,500 metres runner Wilson Waigwa, a Kikuyu, the great majority of the runners come from the Kalenjin and Kisii tribes who comprise no more than 10 per cent of the entire area. They are a Cushite-Nilote cross, and, when you move south into Tanzania and north into Ethiopia along the Rift Valley, the same cross predominates to produce Tanzanian runners like Filbert Bayi and Gidemas Shahanga, and Ethiopian runners like Abebe Bikila and Miruts Yifter.

The common features, other than living at altitude, are slender physiques, long legs, extremely gentle natures, and the amazing distance running capabilities that have been developed through a lifetime of running to school and back every day. Henry Rono, for instance, has been running 12 miles a day ever since the age of seven.

Any country where everyone runs (as the only true form of transportation) is going to develop more than its share of top flight runners. But the Kalenjins of Kenya, and particularly the Nandi sub-grouping have been very special with Kip Keino, Mike Boit, winner of the Edmonton 800 metres, John Kipkurgat, Amos Biwott, and, of course, Henry Rono, all from a population of less than 100,000.

They helped make the Edmonton Games a very special event.

In another "day six" action at the Games England's Oliver Flynn won the first ever Games 30 kilometre walk in 2:22:03.7 to set the standard others will shoot for in the future.

For Flynn the conditions of the day, with 25 degree heat and little cooling breeze, couldn't have been worse, since a sensitive stomach condition prevents him from taking any fluids throughout. So, while others guzzled away at the liquid refreshment stops, the 25-year-old London insurance broker simply fought off the feelings of faintness and rushed on to defeat Australia's Willie Sawall by 55 seconds.

Later in the evening, over in the gymnastics hall, Canadian girls, led by the incredibly tiny 4' 6" Elfi Schlegel of Toronto, a girl who makes even Olga Korbut and Nadia Comaneci look like giants, were vaulting, twisting, balancing, and floor exercising their way to a complete sweep of the Games individual gymnastics medals.

This was the new event on the Games program, and perhaps even a one-time only event since it has been dropped from the program for Brisbane in 1982. In Edmonton it proved one of the most popular events of all with all four programs at the 16,000 seat Coliseum sold out soon after they went on sale.

Although gymnastics is not a strong event throughout the Commonwealth, it is solid in Canada and growing fast in Britain, Australia, and New Zealand while creating interest in all other areas as well.

The big surprise of the Commonwealth Games was that while the international newcomers like Schlegel, Winnipeg's Monica Goermann, and Cambridge, Ontario's Sherry Hawco were making off with the medals, Surrey B.C.'s Karen Kelsall was finishing fourth. All she did was over-rotate a double somersault—this little girl who had been the darling of Canadian gymnastics in the '76 Olympic Games—but that was enough to drop her back to fourth overall. That's how tough top level gymnastics competition is in Canada in 1978.

Finally, over at the Jubilee Auditorium, Canada's Russ Prior cleaned and jerked 434.5 pounds over his head, held it well past the point where he could have dropped it while a smile played across his lips and then dropped the barbell assured of his third consecutive Commonwealth heavyweight championship.

He then announced his retirement.

DAY SEVEN

The Friendly Games?

When the swimming teams walked into the new Commonwealth Pool August 4, all those other than the Canadians were in for a bit of a shock. For starters the cowboy-hatted Canadians had roped off a complete section of the athlete seating, the section closest to the aisle where the swimmers would march in on their way to the starting blocks, and reserved it for "Canadian swimmers only".

And then the cheering started. The Canadian girls would hop along the sides of the pool deck pointing with animation at the water and chanting "Is this not the swimming pool?"

The Canadian men, who stayed in their seats, would immediately respond with "Yes, that is the swimming pool'!" On and on the doggerel went, to the amazement of the crowd, the officials, and the startled international media until the ditty concluded with fingers pointed to the Australian section and the chant "Is that not the losing team?" and the responsive answer from the men of "Yes, that is the losing team'!"

This was immediately followed by the girls with "Are we not the winning team?" and the automatic answer of "Yes, we are the winning team!"

Every day there was a change in the script such as "Eenie, meenie, minie, moe, Catch the Aussies by the toe."

Most of the swimmers on all teams thought it was humorous, none, during medal presentation press conferences, ever admitted that it had bothered them. The fact is that any swimmer who has ever been exposed to the organized cheering of a National Collegiate Athletic Association championship in the United States would find what happened in Edmonton very mild indeed.

In the columns of the international press corps, however, it was a cause-celebre, a prime example of rampant nationalism, and a sure sign that the days of the Friendly Games where the 'just-being-there' was more important than winning and losing are fast becoming the days of the past.

The fact is, people who really believed that that was ever the spirit at the top level of the competition are living in a myth. They should look back to the racial blow-up between Caribbean and South African athletes at the 1938 Games in Sydney for a real example of bitterness in the Commonwealth family.

The Canadian swimmers in Edmonton were not trying to denigrate the abilities of the other Commonwealth swimmers at all, in fact they gave a roaring "way to go Tracey" when 15 year old Tracey Wickham broke the world record in the 800 metres, and they gave her another similar roar when she just missed a record in the 400 freestyle. And, on the closing night of competition, they stayed right to the end to give rousing cheers to all the other teams in the competition.

What the Canadians were trying to do, quite simply, was make maximum use of the new field of sport psychology both to "psyche" themselves up to a higher level of performance and to knock the opposition a little off balance while they were at it.

"Canada let the United States swimmers and spectators completely dominate the Montreal Olympic pool in 1976," said Canada's expatriate Australian head coach Don Talbot, "and we were determined not to let it happen again in Edmonton.

"Canadians have a tremendous problem with their own self image in all sports beyond hockey. The truth is they just don't care about themselves very much. This has shown up in the past with the swimmers, and it always shows up with the crowd. We did not want that to happen in Edmonton and we don't make any apology to anyone for our behaviour there."

Nor did even one team manager file a complaint. Who knows, by 1982 in Brisbane cheerleading might be all the rage in Commonwealth swimming.

All Commonwealth Games have their controversies and Edmonton certainly had its share, first on the cycling track when England's rough riding pair of David Le Grys and Trevor Gladd seemed to lean on the New Zealand tandem of Eric McKenzie and Charles Fabish toppling them to the track on Wednesday night.

Under the somewhat strange rules of cycling the English team was disqualified, but only from that best two out of three heat. Thus, when the New Zea-

landers were too injured to continue England advanced to the final against Canada, only to fall and be eliminated with injury themselves when they blew a tire while pedalling along on their own.

There was controversy in the boxing ring when Canada's middleweight Roddy MacDonald knocked down England's Delroy Parkes and then was disqualified for hitting Parkes an extra blow while he was on his hands and knees. MacDonald was disqualified, but only after the Kenyan referee had counted out Parkes.

There was controversy on the closing day of track and field when Kenya advanced to the 1,600 metres relay gold medal when England was disqualified for cutting off Kenya down the backstretch of the third lap of the track. The British team complained loudly about the "end of the Friendly Games" and the Kenyans declined to show up at the press conference.

But those are the remote examples. They were tountered by dozens of cases of the true spirit of the Games. Small stories out of the limelight like the Turks and Caicos weightlifter who had little experience and no coaching and was taken under the wing of the Canadian team. All the quiet meetings and training tips freely exchanged at the warm-up track and in the Games Village. The tremendous culture shows that the accompanying Festival '78 performers staged each night for each other in their own makeshift village of trailers at the Victoria Composite high school.

That's what the Friendly Games are really all about and there was every bit as much of it in Edmonton as at any other of the ten previous Commonwealth Games. The name will live on as long as there is a Commonwealth.

DAY EIGHT

The majority of the athletes in any Commonwealth Games toil in the media shadows, far from the maddening press conferences of the track stars and swimmers, not through any lack of merit but simply because it is seldom so few reporters are asked to cover so much in such a short period of time.

So, while Precious McKenzie basks in the strobe lights on opening night while winning his fourth consecutive weightlifting gold medal, 47-year-old David Bryant, who once shared the same city of Bristol, England, with the tiny expatriate South African, goes quietly about his business on the Coronation lawn bowling greens.

Bryant's "business" was trying to keep as calm as possible while proving once again that he is quite simply the best lawn bowler in the world.

David Bryant is not a showman, not at all. He is a gentleman of aristocratic mien,

an absolute perfectionist who now consults on the design and construction of indoor and outdoor greens all around the world. Few in the world know more about the sport than he.

He is a model of self control, a man who has mastered the art — and it really can become an art form at this level of competition — of personal control and self-discipline, the sort of man who would make a fine military strategist, or a top flight business executive operating under heavy pressure.

The history of bowls are full of this, going all the way back to the now-legendary story of Sir Francis Drake refusing to face the oncoming Spanish Armada until he had finished his game on the green.

David Bryant, like Precious McKenzie, took a fourth successive bowls gold medal home to Bristol from Edmonton, the first man to ever accomplish that feat in the colors of the same Commonwealth country. What's more the medal was actually Bryant's fifth Games gold since he won one in Perth, Australia in 1962 as a member of the British four man team.

But the truth is David might well have left behind more than he took, because all during his stay, his first ever in Canada after 16 years at the top, he kept attempting to sell the idea of indoor greens for winter play.

"It's all you need in Canada," he said, "and it will come, I assure you."

But the bowlers are not the only athletes who need nerves of steel to succeed in the Commonwealth Games. They are also the chief prerequisites for the shooters who spent the week at the Strathcona ranges in Ellerslie and at the Palomino Range in Calgary.

The ranges were the scene of second consecutive Games gold medals by the likes of Edmonton trap shooter John Primrose and Omemee, Ontario rapid fire pistol expert Dr. Jules Sobrian.

Shooting is an event where the home course advantage can be a definite disadvantage as was proven in the Canadian trials when Edmonton's Susan Nattrass, Canada's female athlete of the year in 1977 and a Montreal Olympian, missed a place on the team. Shooters are often at their best far from the pressures of home, far from their supportive relatives, in an area where they can simply slip into a mood of quiet and total concentration.

Viewed in that light Canada's four shooting gold medals in rapid fire (Sobrian), free pistol (Yvon Trempe), full bore rifle (Desmond Vamplew), and trap (Primrose) was an exemplary performance indeed.

Sibling rivalries and gold medal match-ups of best friends were very much a part of the 11th Games, too, with the classic case coming in the women's 3,000 metres run with a pair of English identical twin sisters, Paula Fudge and Ann Ford, winning gold and bronze respectively in the women's 3,000 metres run.

That one was a very tough race indeed, conducted at the end of Monday's program in heavy winds that slowed the girls more than 40 seconds back of world class time, and when it was over the two sister-medallists avoided the international press conference choosing to handle their private emotions by themselves. Bronze medalist Ann, who had the fastest time of the two going in, said if she had it to do all over again she would not share a room with her sister in the Athletes' Village.

"Not," she says, "when we both wanted to win so badly."

And how about the final in women's badminton when Malaysia's Sylvia Ng met her roommate and best friend Katherine Teh in the gold medal final. Malaysian coach Punch Gunalan just sat back and watched them go at it without offering a word of advice to either, and when it was over winner Ng broke into tears on the victory podium.

Boxing had Spruce Grove, Alberta's Kelly Perlette who was given a controversial opening bout decision over Tanzania's Luigi Nuti, a win that left Perlette with a broken nose, cut scalp, and cut eye. In spite of those injuries, that perhaps should have sidelined him from further action. Perlette fought on to the gold medal in the light-middleweight class.

Gymnastics had British Columbia's Philip Delesalle, one of the best in the world on the pommel horse routine, engaged in a surprising battle with England's Ian Neale for the overall gold in an event that filled the 16,000 seat Coliseum to capacity with a crowd that could do nothing but marvel at the incredible strength of these young men. To sit and watch a male hold a position on the rings is to be overcome by a feeling of wonder.

And yet, minutes later under the stands, you could have seen the same gymnasts seeking help in the simple task of opening a soft drink can during a press conference. The problem is a simple one, they cut their fingernails so close to the quick to avoid slashing themselves that they cannot get any leverage at all with their fingers when it comes to a soft drink can!

At the other end of the spectrum, though, who could compete with the feelings of Ahmedur Rahman Bablu, the lone gymnast from Bangladesh, puffing his chest with pride following a simple beginner's routine — and then getting hugged by the Edmonton high school teacher who had been assigned to coach him when Games officials had learned that he was all alone.

That was one of the really beautiful scenes of these 11th Commonwealth games.

DAY NINE

Ever since he was 15 years old, and shortly after he had first heard of the great international successes of his neighbor and fellow Iraq tribesman Filbert Bayi, Gidemas Shahanga had wanted to run a marathon.

That seemed natural enough. although completely lacking in natural speed young Gidemas had always been able to travel a long way with a little effort. He ran more than 13 miles a day travelling to and fro from school.

"But he was so young," says Erasto Zambi, the Tanzanian national track coach, "that we were afraid to let him run. We told him to try the lesser distances and wait until he got a bit older before trying to run 26 miles 385 yards.

"But a year later he was back with the same request. Again we gave him the same answer. We told him it was impossible."

Finally, at the age of 17, Gidemas Shahanga finally came upon the realization of his dream when the Tanzanian track officials finally agreed to let him try the marathon in the East African championships, and even then they were doing it with great trepidation.

"At the midpoint," recalls Zambi, "he was maybe five minutes behind the leader and asking for instructions. I told him to take it easy, particularly since he was running barefoot, and not make an effort to try and catch the leaders.

"Still, I think he passed maybe a dozen people in the last half of the race to finish in 2:22."

It was an absolutely remarkable performance by one so young, and in light of it there was no surprise when he was named to run the marathon for Tanzania in the all-African Games in Algiers in July of 1978.

That day dawned with the temperature hovering at the 110 degree mark (Fahrenheit), not an auspicious day for marathoning, particularly for 19-year-old Gidemas who was making his first international appearance with his first pair of marathon shoes.

"Wouldn't you know," says Zambi, "the shoes didn't fit at all. By the midpoint in this race he was down sitting on the side of the road taking them off. Then he ran for seven or eight miles with his shoes in his hand until his feet got so sore from that he sat down and put them back on again."

In spite of all the trouble Shahanga finished seventh in Algiers in 2:17. That should have been the end of his 1978 marathon story. None of the marathoners

who ran in the great heat of Algiers were scheduled to come on to Edmonton for the Commonwealth Games. You just don't run two marathons back to back in two weeks time. The body metabolism just won't stand for it.

But no one had ever explained that to Gidemas Shahanga. All he knew was that he had just blown his great chance for fame comparable to that of Filbert Bayi; there was another marathon in Edmonton in two weeks; proper shoes could be found; and he wanted to be there.

Erasto Zambi found it difficult to refuse the tearful plea. Shahanga was sent on to the Commonwealth Games.

"We told him to stay close to the leading pace for once," says the coach, "and just see how far he could hang with it. We expected nothing."

Young Gidemas again proved he is not a good listener. He followed instructions for about three miles, it's true, but then dropped straight back a full minute off the pace into 15th place.

Up at the front New Zealand's Kevin Ryan had made the first break just past the mid-point, and within a couple of miles there was a three way race at the front between Ryan and the Canadian pair of veterans Jerome Drayton and young Glasgow transplant Paul Bannon.

With six miles to go Bannon made his move, but four miles later his fists were clenching, his arms were lifting, and his stride was shortening. In the jargon of the long distance running game he was "hitting the wall".

Drayton, looking absolutely impassive in his sun glasses, soon ran on by into the lead looking calm, confident, remarkably cool, and running very easily.

At one point he looked back and saw Gidemas Shahanga, now in third place but still just a speck in the distance some 19 seconds off the pace.

At about this point, Games 10,000 metres champ Brendan Foster who had hitched a last minute ride on the press truck, started to take an interest in the young Tanzanian who seemed so alive so late in the race.

"Come on," he yelled, from his place at the side of the truck, "run like Filbert. You can still win this thing."

The next time Jerome Drayton glanced behind, with the stadium in view, the lead was down to 25 yards, and within a block it was down to nothing. There was no head to head struggle for the lead at all as Shahanga blew past Drayton and into the lead right alongside the Stadium. Jerome, in his immense disappointment, slowed perceptibly and almost dropped to a walk.

Shahanga roared on like an express train giving the Stadium public address announcer less than a minute to adjust to the new change in leadership. He was in the midst of running the last mile in 4 minutes and 40 seconds and once in the Stadium to the standing ovation from the crowd he would run the last 200 metres in 33 seconds.

The shoes fit perfectly, the world's physiologists had once again been undone by the great runners of the African Rift Valley, Erasto Zambi was all but fainting in amazement, and the entire Tanzanian delegation to the Games was dancing in the aisles of the Stadium, arms raised overhead in repeated roars and chants.

Shahanga just jogged his victory lap like a man without a worry in the world. The most difficult athletic feat in the world had been accomplished with such consumate ease.

An hour later, after the medal ceremony, Gidemas met the press and experienced a little cultural shock. He didn't know what an autograph was, because no one had ever asked him for one. He didn't know how old he was either, because again no one made a point of that at home. So he said he was 21, mostly because someone had told him that was what to say in Edmonton whenever he wanted a beer. No, Gidemas admitted, he had never been to secondary school at all, only to primary. He was a worker, not a scholar.

But oh my how he can run the marathon. His 2:15.39.76 run in Edmonton will be remembered for many Games to come.

DAY TEN

It was a dark and overcast sky that greeted those who were up and around shortly after dawn on the tenth and closing day of Commonwealth Games competition, just the kind of sky to bring frowns and scowls to the faces of the 49 riders from 17 countries who would be on the line for the 7 a.m. start of the 117 mile cycling road race.

Should they go with heavy treaded rain tires in anticipation of the worst, or the silken high speed tires in hopes of the best. A violent spill coming down through the "esses" of Groat Road could easily be the price to be paid.

The weatherman, as it turned out, smiled broadly on more than 80 miles of the road race, with perfect overcast cool weather allowing the cyclists to average more than 27 miles an hour over both uphill and downhill sections of the grueling race. Most observers felt it was unlikely that any field in the world, either professional or amateur, could have handled the course with much more speed.

In the beginning there was the full pack of 49 riders, but the first break came early in the race with six of them streak-

ing out to open a big lead as early as the fourth lap.

On the 11th of the 15 laps Rimouski, Quebec's Pierre Harvey took things into his own hands by sprinting away from the other five in the lead group and opening a personal 30 second lead, but then, when nobody moved immediately to keep him company he coasted and took refreshment while waiting for the others to catch up again. The two who did so were Australia's Philip Anderson and New Zealand's Garry Bell.

These three raced as a unit until the mid-point turn at 107th avenue on the 14th lap when first Anderson, and then Harvey, slipped and fell in the now slightly slippery going. While the two fallen cyclists scrambled quickly to their feet the New Zealander was off and pedalling with the lead all to himself. But that didn't last either, and with one lap to go the three were back together.

They stayed that way until the final sprint which was started by Harvey half way up the final hill on University Avenue approaching the finish.

As is often the case the first to make the move was not the winner, as Aussie Anderson just slipstreamed in Harvey's wake for a few more seconds before sprinting through in the final 100 metres to claim the gold medal.

And then it was on to the track in the main stadium for the event that has been the blue ribbon event of track and field ever since Roger Bannister of England flew past John Landy of Australia to win the Mile of the Century in the 1954 Vancouver British Empire Games.

Then it was the mile. In 1978 it was the metric mile of 1,500 metres and a year before the Games in the anticipation of the expected showdown between Tanzania's world 1,500 metres record holder Filbert Bayi and New Zealand's world mile record holder John Walker there were those who said that the Edmonton 1,500 would finally be the race to eclipse Bannister-Landy of 1954.

Then Walker started having leg problems, problems that finally led to an operation and the end of his Commonwealth dream.

Bayi's dream turned to a nightmare when the rains started to fall heavily just over an hour and a half before the start of the 1,500 final. Bayi, who lives in the shadows of Mt. Kilimanjaro, suffers from a chronic form of malaria with attacks coming as often as four times a year. He never runs in rain, and particularly not immediately after a rain on an otherwise hot and sultry day.

On August 12, 1978 he had no choice, other than scratching his name from the final of the 1,500 metres, and that was unthinkable, threat of malaria or no.

"I started sweating even before the start, while warming up," Bayi said, "and then I got the shivers when they called us to the start line."

So much for his plan of running the first 400 metres in 53 or 54 seconds, just as he had done in Christchurch four years earlier to set the world record. When Bayi is "on" no one can stick with that blistering early pace. He breaks contact with the field early and then just settles into an even pace all the way to the finish.

But this time the first 400 metres went in 57.5 with Filbert in the lead looking heavy and definitely not loose. In Christchurch Bayi had looked like the living embodiment of a fairy tale as in "Run, run, as fast as you can, you can't catch me I'm the Gingerbread man!"

In Edmonton he looked like a tiring fox with the hounds in close pursuit. The "hounds" in this case were England's David Moorcroft, a 25-year-old school teacher who trains in New Zealand during the winter and Scotland's pair of John Robson and Frank Clement.

The "book" on Bayi is that if you can stay with him for 1,400 metres you can catch him coming home, and that's exactly what Moorcroft did sitting tight through a 1:55 800 metres and a 2:53.9 for 1,200 before striking hard in the stretch for the win in an excellent time of 3:35.48, the lone "world class" middle distance time of the year. Bayi held off Robson for the silver by the narrowest of margins, one-one hundredth of a second.

Dr. Rober Bannister, who was on hand to present the gold medal in the Stadium, would have been about 50 metres behind on a straight time comparison in 1954.

Finally, with the weather still threatening but holding, it was on to the closing ceremonies, a simply spectacular show kicked off by Festival '78 entertainers, singers, dancers, and folk artists gathered from every corner of the Commonwealth. There were Chinese dancers from Hong Kong with their hilarious lions, Samoan fire dancers, sword swirling tumblers from the Punjab, a Welsh choir, a steel drum band.

By the time the athletes poured onto the field at the conclusion of the formal phase of the ceremony everyone in attendance was dancing, or wishing they were dancing. When it was over and the giant scoreboard proclaimed "See you in 1982 in Brisbane" thousands wished it wasn't and lingered behind in the huge stadium soaking up the final minutes. Henry Rono made a last trip around the field, followed by a string of Kenyan runners. Precious McKenzie led a line of dancers.

Auld Lang Syne went on and on, over and over again, while thousands linked arms and swayed back and forth both on the field and in the stands.

No one wanted it to end.

Les XIe jeux du Commonwealth

PREMIER JOUR

La plupart des grandes batailles de l'histoire ont sans doute été organisées avec la même précision que celles des cérémonies d'ouverture des XIe Jeux du Commonwealth — ce qui explique la présence de quatre lieutenants-colonels à des postes clefs, à la tête du comité d'organisation des cérémonies.

Seul un organisateur chevronné sait vraiment apprécier le minutage de l'arrivée du groupe Royale, de la revue des troupes, ainsi que le temps nécessaire au déblayage du terrain avant l'arrivée de la fanfare qui suit et qui, elle-même, doit s'éclipser juste avant que les "Snowbirds" survolent le terrain à près de 600 milles à l'heure.

En outre, il faut veiller à que tout soit prêt à l'arrivée de l'autobus qui amènent les athlètes des Résidences de l'Université de l'Alberta, de façon à éviter de stationnements prolongés au soleil à ces athlètes pour qui les Jeux comptent parmi les moments les plus importants de leur vie.

Tout doit être, pour ainsi dire, parfait y compris le temps que personne ne peut contrôler. Dans la ville d'Edmonton . . . le 3 août 1978, tout s'est parfaitement passé.

Peut-être, si on remonte à l'inauguration des Jeux du Commonwealth à Hamilton en 1930, y eut-il des jours où le temps fut aussi clément qu'à Edmonton, mais il n'y a pu y avoir de plus beau jour: pas un seul nuage dans le ciel, ce vaste ciel bleu qui fait partie de la promesse des agences de voyage à ceux qui visitent l'Ouest canadien et l'Alberta.

Et quel spectacle ce fut! Assurément le plus complet dans l'histoire des Jeux, au grand plaisir des 42,500 spectateurs ainsi que des millions de téléspectateurs qui suivaient l'évènement sur leur petit écran au Canada, en Grande Bretagne, en Australie et en Nouvelle Zélande. En moins de 92 heures, les cérémonies d'ouverture se trouvaient sur les réseaux de télévision dans tous les coins du Commonwealth.

Le spectacle commença avec une précision militaire avec l'entrée du Régiment de Cavalerie de Lord Strathcona qui descendit la rampe du marathon accompagné par la fanfare des forces armées canadiennes pendant les 20 minutes, toujours dans le plus parfait des protocoles, lors de la montée des drapeaux et des hymnes nationaux.

Ajoutons que c'était presque parfait. L'étandard royal c'est en effet accroché à son mât à l'extrémité sud-est du stade et ne se déploya entièrement qu'après qu'un groupe de militaires y ait travaillé pendant 45 minutes. Mais personne ne le remarqua, surtout pas la Reine ni le Prince Philip qui faisaient alors le tour de la piste en voiture, saluant avec enthousiasme la foule qui les acclamait.

Puis commença le grand spectacle: des centaines d'étudiants vêtus en juste-au-corps rouges, blancs et bleus, qui dansèrent pendant le salut du Canada aux athlètes, se terminant par une représentation humaine du drapeau canadien.

Puis ce fut le tour de l'historique canadien, reconstitué par des groupes de danseurs qui se succédèrent: des Indiens aux coureurs de bois français, en passant par les Ecossais et les Ukrainiens.

Enfin, après une heure 15 minutes de spectacle, ce fut au tour des athlètes, plus de 1,200 (les participants aux épreuves du premier jour étant généralement excusés) conduits par les représentants de la Nouvelle-Zélande, le dernier pays à avoir accueilli les Jeux du Commonwealth.

Tout le militarisme disparut au moment où les équipes des 46 pays descendirent la rampe de marathon pour entrer dans le stade. Plus question de parade militaire! Les civils du Commonwealth et, plus précisément, les athlètes du Commonwealth, sont l'antithèse des militaires du Commonwealth! La plupart défilèrent en tournant la tête vers les gradins surpeuplés, observant la grandeur de l'occasion. Certains prennent des photos, d'autres saluent leurs amis et quelques uns reviennent sur leurs pas pour voir où ils sont passés!

Tous étaient différents, uniques, chacun à sa façon; tous étaient merveilleux, des Africains dans le costume cérémonial de leur tribu respective, aux hôtes — les Canadiens, portant les chapeaux traditionnels des cowboys de l'Ouest. En théorie, l'on doit respecter un protocole très strict en passant devant la tribune Royale, le drapeau abaissé en signe de respect et les yeux droit devant soi, le chapeau tenu près de la poitrine.

Mais ici, quelqu'un de Jersey oublia complètement d'enlever son chapeau tandis que les canadiens agitaient frénétiquement les leurs! Les Tanzaniens produisirent une drôle de danse qui parut très officieuse aux officiels de la délégation! Danse qui s'endiabla graduellement, arrivant à des contortions vigoureuses au rythme de la musique!

La foule en adora chaque minute le spectacle.

Antigua, dont les athlètes n'avaient pu arriver à temps, était représentée par des parents et amis, hôtes de l'ancienne vedette de l'équipe de football d'Edmonton; Rollie Miles, servant d'attaché de l'équipe de Zwaziland. Freddie et Helen Bethel de Washington D.C., Evans et Gaynell Roderick de Los Angeles, Mario et Shirley Miles et Monica Miles Lipscombe de St. Albert en banlieue d'Edmonton, vécurent un des grands moments de leur vie quand ils passèrent devant les gardes de sécurité qui n'étaient pas au courant de cette équipe peu orthodoxe! Ian Woolridge, journaliste au quotidien populaire de Londres, le "Daily Mail", défila à titre de représentant honoraire de l'équipe des Iles Caiman et reconnut que, tout journaliste endurci de Fleet Street qu'il était, il ressentit la puissante émotion de l'évènement.

Diane Jones-Konihowski d'Edmonton dit qu'elle avait senti, plutôt qu'entendu, les rumeurs de la foule alors qu'elle courait le long du stade en possession du message de la Reine, papier contenu dans une cassette du Norwhal, travaillée spécialement par l'artiste Inuit Nick Sikkuark du nord canadien pour cette occasion.

Ce message avait commencé son périple vers Edmonton, par avion et à pied 8 jours auparavant, quand le grand coureur Kenyen, héros des Jeux du Commonwealth de Christchurch, Ben Jipcho, l'avait emporté du palais de Buckingham à Londres.

La Reine faisait remarquer, dans son message, que 50 ans s'étaient écoulés depuis que l'on avait décidé d'organiser ces Jeux en 1928 lors des Jeux Olympiques d'Amsterdam. Elle remerciait Edmonton pour ses efforts d'organisation, louait les rivalités et les amitiés du sport qui "montrent quelques-unes des qualités essentielles de l'homme."

Ceci dit, la Reine, remplissant dans cette occasion pour la première fois ses fonctions officielles, déclara ouverts les XIe Jeux du Commonwealth.

Puis le drapeau officiel des Jeux fut passé de Christchurch à Edmonton et hissé au mât à l'extrémité sud-est du stade, le tout accompagné d'une salve de 11 coups de canon en honneur des XIe Jeux du Commonwealth. Le plongeur vétéran, Beverly Boyes, prêta alors le serment des Jeux au nom de tous les participants.

Le groupe Royal partit, les athlètes sortirent en direction de la porte du marathon, vers les autobus qui les ramenèrent au Village, le groupe officiel partit et des milliers de spectateurs restèrent pour écouter un concert offert par les Cornemuses et Tambours de l'Alberta; puis ils rentrèrent chez eux soigner leurs coups de soleil.

DEUXIÈME JOUR

Quand la Nigéria sortit des Jeux d'Edmonton, à peine une semaine avant leur début, en protestant des relations sportives entre la Nouvelle-Zélande et l'Afrique du Sud, le tout petit haltérophile (4' 11") Precious McKenzie, le symbole vivant de l'esprit des Jeux du Commonwealth à Kingston en Jamaique, Edinbourg en Ecosse, Christchurch en Nouvelle-Zélande et à Edmonton au Canada, en pleurait.

Même aujourd'hui Precious McKenzie reste le seul athlète politiquement "banis" par le gouvernement sud africain. Après tout il est celui qui débuta "l'affaire" Sud Africaine pendant les Jeux de Cardiff en 1958. Aujourd'hui, vingt ans plus tard, il est venu à Edmonton afin d'essayer de devenir le premier athlète dans l'histoire des Jeux à gagner quatre médailles de suite. Il est venu sous les couleurs de la Nouvelle-Zélande, pays qu'il adore depuis les Jeux de Christchurch en 1974.

Personne ne connait l'agonie que représente la perte d'une occasion de gagner la réputation internationale de suprématie comme Precious McKenzie quand les oppositions politiques de la Nigéria survinrent contre son nouveau pays, il en avait le coeur rempli de tristesse. Toutefois, il ne voulait pas en parler.

"J'ai toujours été un athlète et non un politicien" nous explique t-il, ce qui fait de mon bannissement par l'Afrique du Sud (ce qui implique qu'il ne peut voyager à sa terre natale pour voir ses parents et amis) tout-à-fait unique. Normalement on interdit l'entrée à des politiciens seulement."

C'est en 1958 que Precious — il a reçut ce nom d'enfance après avoir survécu une attaque de double pneumonie que les médecins prophétisaient être fatale —, devint le premier athlète non-blanc dans l'histoire de l'Afrique du Sud à démontrer des capacités athlétiques supérieures à celles de ses contreparties de l'autre race. C'est au moment de ne pas être parmi les participants dans l'équipe sud africaine destinée aux Jeux de Cardiff en 1958, surtout après la sélection de Reg Gaffley, qui gagna la médaille d'or, qu'une "affaire" internationale est issue avec beaucoup d'appui provenant de la presse britannique.

"Voilà le Champion du Commonwealth" disait McKenzie, "et, il n'est même pas le meilleur athlète de son propre pays."

Ce qui suivit fut une lutte de deux ans afin d'obtenir permission pour que Precious McKenzie fasse partie de l'équipe Olympique sud africaine pour les Jeux de Rome en 1960. Après des pressions du Comité international des Olympiques, il obtint une offre à condition qu'il accepte de laisser son club afin de se joindre comme membre spécial et non-officiel au club pour blancs seulement.

"Ils voulaient que je sois leur souffre-douleur". Pour pouvoir démontrer qu'ils voulaient l'intégrer la vie sportive sans l'intégrer du tout" disait-il, "et, quand je ne voulus pas m'y joindre, je ne fus pas sélectionné pour l'équipe Olympique."

"L'affaire" tomba lorsque, pour les Jeux à Perth en 1962, l'Afrique du Sud avait laissé tomber le Commonwealth. Deux ans plus tard, son patron l'envoya à Londres pour compléter son marché de cuires. Il ne faisait encore pas partie de l'équipe d'haltérophiles simplement parce que l'Afrique du Sud, suspecte de sa motivation, refusa de lui donner un passeport Sud Africain. Enfin, une loi spéciale du Parlement Britannique lui permit d'obtenir un passeport britannique à temps pour faire compétition dans les Jeux de Jamaique en 1966.

Il gagna la médaille d'or et devint immédiatement l'athlète le plus populaire dans l'histoire des sports de la Grande Bretagne. Il obtint un rôle de première catégorie dans les 'Visions of Eight', le film officiel de l'histoire des Olympiques de Munich de 1972.

"Toutefois, mes amis dans l'Afrique du Sud ne virent jamais ce film, puisque — disait-il —, le film était réservé pour des spectateurs de race blanche seulement. L'Afrique du Sud n'a vraiment pas changé depuis que je n'y suis plus, du moins de nul manière fondamentale perceptible, et le boycotte sportif mondial leur cause beaucoup d'ennuis. Toutefois, ce dont je n'aimais pas voir ici à Edmonton fut la façon dont la Nigéria se blesse par soi-même. Leur sortie des Jeux est tout-à-fait enfantine."

Ceci étant dit, Precious passa au centre du théâtre dans la catégorie de 56 kilogrammes — avec la Reine présente par demande spéciale de sa part — il souleva 270 livres au dessus de sa tête dans le temps requis et gagna sa quatrième médaille d'or de suite. Quelques minutes plus tard il tomba avec des crampes d'estomac, ce qui veut dire que le tout fut une affaire très risquée.

"Je développai de terribles crampes — disait-il — à cause d'un surplus de sustylite, matière qui remplace le sel corporel. Quand on en prend de trop, ce médicament provoque une réaction opposée, c'est-à-dire une déhydration qui envoie tous les liquides à l'estomac. Quelles crampes!"

Toutefois, après sur les gradins de victoire, il était encore une fois l'as de la mise en scène avec un gros sourire et les quatre doigts de chaque main tenus en l'air. Combien de spectateurs croyaient que si ce ne fut que pour la ségrégation de son propre pays, les quatre en auraient été six!

Le drame McKenzie, dramatique qu'il fut, était loin d'être le seul drame de la première soirée des Jeux. A la piste de cyclisme, les premiers cyclistes du monde anglo-saxon luttaient contre la température et le vent dans l'éliminatoire de minutage individuel pour la course de 1,000 mètres. Le "kilomètre" est une épreuve de cyclisme des plus anciennes où les meilleurs coureurs ont l'avantage de sortir les derniers et alors ils connaissent le minutage qu'ils doivent surpasser afin de pouvoir gagner la médaille d'or. C'est pour cette raison que personne n'était particulièrement intéressé dans les premières minutes quand l'australien Kendrick Tucker obtint un minutage de 1:06.96, temps superbe pour être l'un des premiers mais presque assuré d'être dépassé dans les dernières minutes du programme quand les coureurs les "mieux connus" sortiraient.

La planification ne permettait tout de même pas la précision météorologique. Les éléments semblaient essayer d'empêcher que les courses se terminnent avant la minuit et ainsi, seraient supprimées des Jeux.

Quand la pluie cessa après les dix heures, les meilleurs coureurs avaient de la peine à rentrer dans l'espace de dix secondes du premier minutage de Tucker et, quand l'athlète canadien Jocelyn Lovell sortit, l'avant dernier des coureurs, il doubla la première courbe pour en sortir presque sans équilibre avec une bicyclette qui vacillait. Il continua, le dos droit et en toute vitesse. Ce ne fut qu'au moment de la dernière tournée qu'il a pu regagner un contrôle parfait.

Le minutage de Lovell était parfait, surtout quand le moindre faux pas peut tout faire perdre dans les derniers 200 mètres. Le vétéran canadien gagna la médaille d'or en passant sous le cadran avec un minutage de 1:06.00, effort qui lui permit d'en sortir avec la meilleure course dans la catégorie de cyclisme. Il aida à gagner une médaille d'or dans les courses de tandem avec son compagnon Gord Singleton, en plus d'une troisième dans la course de 10 milles avec une autre finale spectaculaire.

TROISIÈME JOUR

Graham Smith était devenu presqu'un homme mécanique quand vint le temps d'enlever son blouson de sport et de se préparer pour les finales de la natation individuelle de quatre styles (400 mètres) pour hommes vers les deux heures d'un après-midi chaud et humide. Il était dans un état d'extrême nervosité et, même s'il ne faisait pas évidence de trembler, il était assurément plus tendu face à cette épreuve qu'il ne l'avait jamais été auparavant.

Après tout, cette nouvelle piscine était la nouvelle installation construite spécialement pour les Jeux et nommée en honneur de son père D. Donald F. Smith qui avait été l'un des pionniers de la natation compétitive dans la ville-hôte d'Edmonton. Son père mourut de cancer 23 mois auparavant mais il vécut juste assez longtemps pour voir son garçon et sa fille lutter pour des médailles dans les Olympiques de Montréal.

Au début, les médecins ne croyaient pas que Don Smith pourrait voir les Olympiques mais il se présenta à Montréal pour voir son fils rater des médailles qu'il aurait pu gagner à deux reprises s'il n'était pas sorti trop vite dans les épreuves de brasse de 100 et 200 mètres. Un jeune 'impétueux' de l'Ouest qui passa tout près de battre des compétiteurs de la renommé de John Hencken des Etats-Unis et David Wilkie de la Grande Bretagne.

Et voilà ce même jeune homme à Edmonton, 25 mois plus tard et avec moins d'années après que le record mondial fut établi dans la nage de quatre styles, la vedette de l'équipe de nage Golden Bears de l'Université de la Californie qui fait compétition dans sa ville natale sous toutes les pressions que peut emporter les XIe Jeux du Commonwealth.

"Graham a gagner à Edmonton" disait-on et, en effet, au moment où il enlevait son blouson de sport, les photographes d'Edmonton se rassemblaient pour lui demander son avis et prendre leurs photos de pré-compétition.

Même la Reine qui devait présenter personnellement la médaille au vainqueur, s'était préparée pour voir cet évènement, l'un d'entre ceux qui furent soigneusement présélectionnés selon ses goûts personnels. Graham s'en était rendu compte la journée précédente quand il vit l'annonce sur une des feuilles d'avis et ce fait n'aidait pas à le calmer.

Combien d'épreuves peut-on faire supporter à un simple et jeune athlète?

L'épreuve de nage de quatre styles de 400 mètres requiert que le compétiteur soit assez flexible dans son propre style de nage afin de pouvoir parcourir les premiers 100 mètres de papillon, le deuxieme de dos, le troisieme de brasse et le quatrieme de style libre; ce dernier pour qu'il puisse faire preuve de la plus grande vitesse possible dans la dernière partie de la course.

Cette fois, ce fut George Nagy de Toronto qui prit la première place dans les premiers 100 mètres pour le céder à Simon Gray, un étudiant anglais provenant de l'Afrique du Sud. Les deux premiers minutages de Graham dans le papillon (1:00.72) et dans la brasse (2:09.33) ont été les meilleurs jamais accomplis par cet athlète. Dans la section de brasse, sa spécialité, il dépassa Gray avec toute confiance pour prendre la devance avec que 100 mètres à nager.

Les derniers 100 mètres ont peut-être été les plus longs que Graham Smith ait jamais nagé de sa vie. Dans les derniers 100 mètres, ses bras et ses jambes se sont raidis et si la course aurait été mesurée en verges — ce qui était le cas depuis le début des Jeux du Commonwealth jusqu'en 1966 —, au lieu de mètres, il est très possible que Simon Gray aurait emporté la médaille d'or.

Toutefois, ce fut le contraire; Graham Smith l'emporta et, vingt minutes plus tard, quand la Reine déposa la médaille autour de son cou au son des applaudissements des enthousiastes de sa ville natale, Graham Smith oublia tout protocole Royale et serra la main de Sa Majesté un peu fort tout en saluant la foule avec l'autre. S'il avait levé le bras droit comme le fait un haltérophile, il est très possible qu'il eut salué la foule avec la Reine au lieu de sa main tellement il était agité!

Celle-ci fut la première d'une série de quatre médailles que Graham Smith gagna dans ces XIe Jeux du Commonwealth. De plus, il aida a en gagner deux autres dans les relais pour un total de six, exploit qui produsait le plus grand des événements de nage dans l'histoire des Jeux, dépassé que par les sept médailles gagnées par Mark Spitz dans les Olympiques de Munich en 1972.

Toutes les épreuves de nage qui suivirent cette course de 400 mètres paraissaient être toutes plus simples pour ce jeune homme qui débuta et termina en tête de tous les événements avec la même résolution et discipline.

Un autre jeune avec le même genre de résolution était à la piscine ce samedi soir et obtint le seul record mondial obtenu dans tous les Jeux d'Edmonton. Tracey Wickham, âgée de 15 ans, a la capacité extraordinaire de plonger dans la piscine, nager les 100 mètres dans un minutage de 63 secondes et répéter ce même exploit à plusieurs reprises dans une course de 800 mètres. Afin de pouvoir apprécier la valeur de ce que nous signalons, il faut se souvenir que les femmes ont commencer à nager les 100 mètres seulement, en moins d'une minute, dans les épreuves à Christchurch en 1974. Qu'elles puissent nager les 800 mètres avec une moyenne de 63 secondes est tout-à-fait extraordinaire!

Tracey, qui fut poussée à la limite de l'endurance par sa propre compagne d'équipe Michelle Ford, a, en fait, accompli des circuits de 62.5, 63.9, 63.8, 63.9, 63.3, 62.8, 62.4, et 61.9 pour battre son propre record mondial de 8:30.53 avec un minutage de 8:24.62. Elle fut surprise de son propre accomplissement. Elle croyait pouvoir battre son record avec un minutage de 8:28 ou 8:29 et ainsi pourrait réserver "quelques secondes pour le championnat mondial qui aura lieu à Berlin dans un futur très rapproché".

Et le secret?

"C'est la compétition quotidienne" replique la jeune gamine qui aime choisir un rythme, une chanson populaire qu'elle chante pour soi-même ce qui devient une forme de divertissement mental qui lui aide à passer à travers de cette épreuve ardue et, de plus, "C'est l'entraînement quotidien avec Michelle".

Voilà donc la recette! Dans un temps tout-à-fait comparatif, Mlle. Ford gagna la médaille d'argent dans un minutage de 8:25.78. Ces deux jeunes nageuses ont atteint le plus grand accomplissement des XIe Jeux du Commonwealth dans leur discipline.

Entre-temps, autour de ces deux nageuses, les compétitions entre les nageurs canadiens et australiens étaient tout-à-fait acharnées. Cette lutte continua le vendredi soir quand la jeune canadienne Carol Klimpel, âgée de 15 ans et qui avait fait compétition nationale qu'une fois dans sa vie, gagna la médaille d'or dans l'épreuve des 100 mètres et continua sa vitesse vertigineuse dans le relais de style libre (400 m) du samedi soir. Les australiens, suivant la direction de Ron McKeon, sont revenus dans l'épreuve de 200 mètres de style libre pour gagner toutes les médailles. Le vainqueur, Ron McKeon, arriva dans un excellent minutage de 1:52.06.

Toutefois, à la fin des Jeux, les canadiens avaient emporté 15 médailles d'or à comparer aux onze des australiens, grâce à l'appui d'autres athlètes tels que la Néo-Zélandaise Rebecca Perrot dans le papillon et l'Anglaise Sharon Davies dans les épreuves d'autres styles de 200 et de 400 mètres. L'Angleterre et la Nouvelle-Zélande ont proportionné des nageurs qui portaient de bonnes promesses pour l'avenir.

QUATRIÈME JOUR

Si, dans l'avenir, on se souvient de la section de piste et de pelouse des Jeux du Commonwealth à Edmonton ce sera sans doute à cause de l'établissement en permanence de ces épreuves multiples.

Plus de 30,000 enthousiastes étaient dans les gradins dimanche matin afin de pouvoir voir une des filles de la ville d'Edmonton gagner la médaille d'or dans le penthalon pour femmes. Ce fut une journée très difficile pour Diane Jones-Konihowski; journée qui commença avec la course de haies de 100 mètres, suivi du tir du poids pour passer au saut en longueur et en hauteur pour se terminer avec la course des 800 mètres.

Cette combinaison d'épreuves test la flexibilité et la coordination (haies), la force (tir du poids), technique (saut en hauteur), la force et la vitesse (saut en longueur) et l'endurance (la course de 800 mètres) et, pour ainsi dire, celle qui gagne le tout doit être une femme relativement superbe. Très peu d'athlètes du penthalon peuvent arriver à faire partie d'une équipe nationale dans tous les sports.

Seuls les athlètes absolument superbes peuvent arriver à faire compétition dans plusieurs épreuves. La favorite des Olympiques de Munich Heidi Rosendahl de l'Allemagne de l'Ouest avait pu retenir l'effort final de la gagnante de deux médailles d'or des Jeux, Renate Stecher de l'Allemagne de l'Est, afin d'emporter cette médaille dans le relais des 400 mètres.

Mais Heidi perdit le penthalon des Jeux de Munich par une incroyable petite marge de 10 points en faveur de Mary Peters de Belfast. Mary établit le record des Jeux du Commonwealth à Christchurch tout en établissant une marque totale de 4,455.

Diane Jones était toute jeune lors ces Jeux de Munich. Elle était presqu'une reflexion après coup, suivant sa compagne d'équipe Debbie van Kiekebelt de Toronto. Mais Diane, sans aucune pression de vainqueur, sortit et établit de pointillages individuels des meilleurs pour terminer en dixième place.

Ce modest spectacle, plein de promesse pour l'avenir ne fut réalisé totalement que pendant les Jeux du Commonwealth à Edmonton où Diane accomplit un incroyable pointillage de 4,768 qui éclipsa aisément le record de Mary Peters.

Cette dernière, était assise dans la section de la presse et travaillait comme commentatrice aux Jeux pour la BBC. Même Mary croyait que la foule d'Edmonton avait sous l'oeil la future championne des Olympiques de 1980.

Elle signala: "Tout ce que Diane a à faire, c'est de continuer son entraînement et essayer de ne point souffrir des blessures".

Cela pourrait être difficile pour une jeune femme qui semble pouvoir accomplir l'impossible seulement à l'intérieur des lieux dangereux. Après tout, Diane était le joyaux de la fête cette fois ci. Elle emporta le message de la Reine et resta aux pieds de Sa Majesté pendant toute la lecture du message devant le monde entier. Plus tard, ce même soir, elle devait servir de guide pour le Premier Ministre, M. Pierre Trudeau, qui fit une tourné du Village des athlètes en terminant la soirée avec 45 minutes de plaisir dans une des boîtes de nuit de la ville. Tout ceci avec à peine 60 heures avant la compétition de sa vie.

La journée commença avec un meilleur minutage dans la course de haies (13:85) qu'elle pourrait obtenir plus tard dans la même semaine. Cette deuxième course fut ratée lorsqu'elle frappa l'un des obstacles avec son genoux.

Diane lança le poids 14.87 mètres. Cet exploit est en dessous de son propre maximum à près d'un mètre, mais il faut se souvenir que ce maximum fut accompli avant qu'elle perde plus de 20 livres afin de pouvoir faire une compétition acharnée dans les épreuves de saut en longueur et en hauteur et de la course de 800 mètres. C'est ce qui se passe dans ce genre de discipline sportive. Si l'on veut être en forme pour l'une des épreuves, on doit sacrifier la forme que requiert une des autres épreuves.

Le saut en hauteur de Diane restera dans les souvenirs pour longtemps. D'habitude, elle saute 1.75 ou 1.78 mètres, même si elle a les capacités de sauter un peu plus haut. Cette fois elle continua de sauter jusqu'à ce qu'elle eut atteint les 1.88 mètres, soit 6' 2''. Cet accomplissement excédait le record existant des Jeux et aurait valu une médaille de bronze dans la compétition ouverte de ces Jeux.

Après elle sauta 6.41 mètres, soit 21' 5/8'', saut en longueur qui aurait pu faire compétition avec les épreuves ouvertes. Et, enfin, elle courut les 1,500 mètres dans un minutage de 2:11.5 c'est-à-dire, plus d'une seconde et demie plus vite qu'elle ne l'avait fait auparavant, pour emporter la médaille d'or du penthalon.

Il est extrêmement rare de voir deux athlètes, gagnants des médailles d'or, tels que Diane Jones-Konihowski et Graham Smith en provenance de la ville-hôte des Jeux du Commonwealth. Sans aucun doute, ces deux vedettes sont sorties des Jeux de 1978 à titre d'Athlète pour l'année.

Tandis que toutes ces épreuves avaient lieu, la course de 10,000 mètres pour hommes faisait preuve des premières indications des difficultés rencontrées dans l'air sec et d'altitude élevée d'Edmonton. On savait d'avance que ce facteur forcerait une médiocrité de minutage pour les coureurs de longues distances; facteur peu connu jusqu'au présent, sauf dans le cas des compétitions tenues pendant les Olympiques de 1968 et les Jeux Pan-Américains de 1975 au Mexique.

L'Anglais Brendan Foster fit son grand effort avec que 1,200 de reste en accélérant sa vitesse de près de 7 secondes, c'est-à-dire qu'il courut le dernier circuit avec un minutage de 63 secondes en comparaison avec sa mesure établie de 70 secondes pour les premiers tours de la course. Dans les 600 mètres à suivre, le tout se termina avec la défaite du Kenyan, Michael Musyoki, et il ne lui restait qu'à terminer la course pour un minutage minime de 28:13.7 pour en obtenir la médaille d'or.

Le premier blâme fut attribué à la chaleur, surtout quand Foster lui-même signala qu'il faisait tellement chaud "que je ne fis même pas les exercices de réchauffement. A mesure que nous courrions, ma bouche était tellement sèche que je me léchait les lèvres pour obtenir un peu d'humidité. Je craignais le pire quand les premiers 5,000 mètres sont passés avec un minutage de 14:04, vitesse peu rapide pour ce genre de course, surtout quand je me sentais un peu mal. Mais quand je me suis détourné, les autres coureurs avaient pire mine. Tony Simmons du Pays de Galles commençait à se laisser aller sur la piste et David Black de l'Angleterre n'en pouvait plus. A ce moment, j'étais le plus heureux."

Dans les derniers 400 mètres, Foster se sentait tout à fait récupéré. Il se voyait comme le meilleur coureur des 10,000 mètres des XIe Jeux du Commonwealth d'Edmonton.

Entre-temps, à la piscine, le Canada prit de l'avance sur les Australiens avec sept médailles d'or contre trois, grâce aux efforts de George Nagy de Toronto dans le papillon de 200 mètres et de Wendy Quirk de Pointe Claire dans le papillon de 100 m pour femmes. Le tout se passa en même temps que le Néo-zélandais Garry Hurring surpassa Glen Patching de l'Australie dans la nage de dos de 200 mètres.

Lincoln, le père de Hurring, avait une énorme difficulté de concentration; il travaillait comme commentateur pour la télévision-couleur du réseau Néo-zélandais!

L'Anglais, Chris Snode, champion du plongeon de la NCAA et provenant de l'Université de la Floride emporta la médaille dans l'épreuve de tremplin pour hommes pour gagner les deux médailles d'or dans les épreuves de plongeon pour hommes.

CINQUIÈME JOUR

Le monde entier fut étonné au printemps de 1935 lorsqu'un jeune homme d'Ohio State nommé Jesse Owens débuta dans les compétitions internationales de piste et de pelouse pendant les championats Big Ten de Ann Arbor au Michigan.

Dans un après-midi de sprint, de courses de haies et de saut en longueur, épreuves accomplies à la suite d'une matinée pleine de boulversements, ce même jeune homme établit des records mondiaux.

Un ans plus tard, dans les Olympiques de Berlin en 1936, il fit preuve de sa grandeur athlétique en gagnant quatre médailles d'or: dans la course de 100 mètres avec un minutage de 10.3, de 200 mètres en 20.7 et comme membre de l'équipe de relais de l'Amérique dans le relais de 400 mètres en 39.8. Dans l'épreuve du saut en longueur, il sauta 8.06 mètres, soit 26' 5 et ¼''.

Même aujourd'hui, la polémique chez les historiens de sports reste la même: Est-ce que Jesse Owens est toujours le plus grand athlète amateur individuel de l'histoire; le seul homme qui a réussi des minutages qui restent compétitifs même aujourd'hui, 40 ans après le fait?

Les historiens ont tout-à-fait raison du point de vu des statistiques, mais le décathlon d'Edmonton—cette épreuve ardue de dix sports qui requièrent la force, la vitesse, la flexibilité et l'endurance—, vient de produire un réel compétiteur.

Daley Thompson, âgé de 19 ans lors de son arrivée à Edmonton où il devait passer sa fête une semaine avant les Jeux, prit sa place sur la ligne de sortie de la première des dix épreuves, soit la course de 100 mètres. Dès lors il fit preuve de sa capacité de devenir le plus grand des athlètes globals de ces Jeux du Commonwealth, exploit accompli dans une épreuve où les athlètes font normalement preuve de maximum quand ils sont âgés de 30 ans au lieu de vingt.

Owens courut les 100 mètres en 10.3 secondes; Thompson accomplit le même exploit en 10.5 secondes. Le record mondial d'Owens dans le saut en longueur de 8.06 m d'il y a 25 ans reste à peine suivant le saut de Thompson de 8.11, soit 26' 7''. Il faut ajouter que ce saut est le plus long dans l'histoire du décathlon. Dans le saut à la perche, son saut de 4.80 m (15' 9'') n'est surpassé que de très peu dans les compétitions ouvertes de cette épreuve. Dans le saut en longueur, il sauta 2.07 mètres, soit 6' 9 et ½''.

Dans la course de 400 mètres, face à un gros vent qui tournillonnait autour des coureurs pour 300 des 400 mètres, Thompson courut la distance dans un minutage de 47.85 secondes, soit dans une seconde de plus que le minutage qui gagna la médaille d'or dans les compétitions ouvertes où il serait arrivé septième avec le même minutage.

Le pointillage de Daley pendant ce premier jour des épreuves du décathlon était de 4,550 points, le plus élevé dans l'histoire de ces compétitons et plus de 100 points en dessus du record mondial de Bill Toomey, établi avant les preuves héroïques de Bruce Jenner.

Bien sûr il glissa dans le circuit final du dixième jour et, par simple manque de technique dans le lancer du javelot et du disque il est tombé court du pointillage le plus élevé dans l'histoire de ces épreuves avec un total de 8,454 points. Toutefois, il a su battre Nikolai Avilov de la Russie et Guido Kratschmer de L'Allemagne et se trouve juste en dessous du prodigieux Jenner, le gagnant de la médaille d'argent dans les Jeux Olympiques de Montréal.

Si on arrive à voir un pointillage de 9,000 dans le décathlon pour hommes, ce maximum sera sûrement établi par Daley Thompson, ce jeune Anglais, né de père Nigérien et de mère Anglaise, provenant du district des dûrs-à-cuire du Notting Hill de Londres.

L'histoire personnelle de ce jeune homme, à partir de son évasion d'un milieu plein de prostituées, de trafiquants de stupéfiants et autres, ferait bonne matière de ciné mélodramatique. L'histoire de manipulations de minorités raciales de l'Angleterre et la manière dont elle accueillera un membre de cette minorité lorsqu'il est devenu un héros national de sport, en ferait bonne conclusion.

Daley Thompson pourrait être l'espérance même des Anglais pour une bonne présentation d'athlète de piste et de pelouse dans les Jeux Olympiques de Moscou en 1980. Il pourrait aussi être l'espérance des amateurs de sports vis-à-vis l'appui que proportionne l'Angleterre pour ce genre de personnes. Dès qu'il gagna la médaille d'or à Edmonton, il fit savoir que sans l'appui financier nécessaire de la part de l'Angleterre, il serait obligé de faire option pour une bourse sportive provenant d'un collège américain. Quelques heures après cette annonce, plus de 25 offres se trouvaient sur son lit.

Le lendemain matin il devait avoir un parrain—anonyme—qui se chargerait de toutes ses dépenses d'athlétisme. L'offre fit preuve du bon sens de l'Angleterre. Si Daley ne rencontre aucune malchance, il sera définitivement l'un de ces rares diamants de l'histoire sportive Anglaise.

Assurément quelques-uns d'entre nous se souviendront qu'il fit son début à Edmonton.

De plus, son accomplissement se réussit sous l'ombre de l'une des grandes histoires du sprint des Jeux puisque le Jamaiquain Don Quarrie et Hasely Crawford de Trinité ont fait un 'rematch' de leur finale classique des Jeux Olympiques de Montréal. Lors de ces Jeux, ce fut l'énorme Crawford qui termina le premier dans le circuit final. Toutefois, à Edmonton, ce fut au tour de Quarrie qui gagna avec Crawford et un Ecossais, Allan, sur les talons. Cet Ecossais, dont l'épouse agît d'entraîneur et qui déteste les blocs de démarrage, fut vedette du sprint dans ces Jeux quand il emporta deux médailles d'or dans les relais de 200 et de 400 mètres.

Le songe de pouvoir gagner les médailles d'or dans le sprint se sont évolés pour Quarrie lors des deuxièmes éliminatoires quand il souffrit d'une brusque douleur de musculaire à quelques pas de la rentrée.

Le même genre de songes pour l'Australienne Raelene Boyle dans les sprint pour femmes sont tombés courts le lundi après-midi quand Boyle, à peine revenue d'une blessure de tendon, ne pouvait emporter autre que la médaille d'argent, faute d'avoir été devancée par l'Anglaise Sonia Lannaman. Cette dernière gagna la course avec un minutage de 11.27 secondes.

Dans la piscine, le Canadien Graham Smith gagnait ses quatrièmes et cinquièmes médailles avec un record de Jeux de 2:05.25 dans l'épreuve de nage à quatre styles de 200 métres. Il fit de même dans l'épreuve de brasse de 200 métres avec un minutage de 2:20.86, non sans un défi sévère lancé par l'Anglais Duncan Goodhew. Smith ne put rattraper Goodhew, un excellent nageur de Sussex âgé de 21 ans, aprés qu'il eut pris la devance dans les derniers 50 métres.

SIXIÈME JOUR

La première fois que nous rencontrons Henry Rono, nous sommes frappés de son aspect timide, de sa gentillesse, de sa voix douce en plus de son désire d'anonymat vu sa nouvelle position d'étoile-vedette du monde des sports.

A le voir courir avec un rythme fluide, nous nous émerveillons de sa grâce. Ses capacités extraordinaires de manutention avec peu d'oxygène lui permettent de courir sans s'arrêter, sans bruit et sans effort comme si, en effet, il arrêtait de respirer à volonté. Si on se ferme les yeux, même si on est sur le côté de la piste, nous ne saurions s'il est passé.

Dans ses premiers jours, vivant dans sa vallée native de Kiptaragon dans les côtes de Nandi parmi les peuples du Kalenjin qui vivent haut dans la vallée du Rift, Henry Kipwambok Rono aurait été l'un des suprêmes guerriers avec plusieurs femmes ayant été l'héros de grands vols de bétails.

Dans les Jeux du Commonwealth à Edmonton, il était tout simplement le meilleur des coureurs de longues distances du monde entier.

Il avait les capacités de donner l'apparence de marionnettes à une demi-douzaine d'entre les premiers coureurs des courses de 5,000 et 3,000 métres du steeplechase, à mesure qu'il jouait avec, en courant derrière eux, avec eux et devant eux à la joie et à l'ovation de plus de 40,000 spectateurs qui jouissaient de voir son effort même si les minutages n'étaient que médiocres.

Les minutages qui permirent les médailles d'or pour Rono (de 8:26.5 et 13:23.04) dans le steeple-chase étaient loins de son record mondial de 8:05 et 13:08. Toutefois, en considérant le vent, l'altitude de 2,200 pieds d'Edmonton et l'air sec des Prairies pour ne rien dire des grandes distances qui séparaient les gagnants des médailles d'argent et Rono, l'on peut voir et apprécier son effort.

Dans presque tous leurs aspects, ces courses furent les meilleures des Jeux d'Edmonton; courses qui laissaient les gens stupéfaits et se demandant quel genre d'homme était ce Rono. Il se trouve à être un étudiant de l'Université de Washington State qui passe ses matinées entières à faire des courses tout au long du Snake Canyon près du lieu où Evel Knievel essaya de sauter la voûte du cañon sur une motocyclette-fusée.

Henry Rono est en fait l'un de ces grands Kenyans et Tanzanais qui sont produits de leur milieu sud-africain de la vallée du Rift que plusieurs personnes considèrent comme étant le plus beau pays du monde.

Les anthropologistes savent maintenant que cette partie du monde fut peuplée par les Cushites, peuple de mélande des deux races Caucasoïdes et Négroïdes de la débouchée du Nile Bleu en Ethiopie. Ceux-ci furent les premiers à se sentir à l'aise dans cette altitude de 5,000 à 8,000 pieds avec des côtes roulantes de terrains pastorals.

Les Cushites furent suivis des Niolites, une race négroïde emigrée du sud et de l'est du Sudan et précédée par l'immigration vers le nord du Bantu parvenant du Kenya et de la Tanzanie et des parties sud de l'Afrique.

Aujourd'hui, la majorité de la population de ces deux pays sont d'origine du Bantu — les tribus Kikuyu et Masai au Kenya — avec l'exception du coureur Wilson Waigwa, coureur du 1,500 mètres à Edmonton, la grande majorité des coureurs viennent des tribus Kalenjin et Kisii qui ne font qu'un dixième de la population totale. Ceux-ci sont un mélange de Cushites et de Nicolites et, visant vers le sud à la Tanzanie et au nord en Ethiopie tout au long de la vallée du Rift, le même mélange prédomine la région et produit des coureurs comme Filbert Bayi, Gidemas Shahanga, Abebe Bikila et Miruts Yifter.

Autre que leur longue résidence dans une altitude élevé, leurs aspects physiques peuvent se résumer dans leur apparence svelte, leurs longues jambes, leur gentillesse, et leur capacité de course de longues distances qu'ils ont développé grâce au besoin de courir à l'école et de retour tous les jours de leurs vies.

N'importe quel pays où tous courent comme forme principale de transport pourra développer un grand nombre de coureurs de longues distances. Nous ne croyons que toutefois il n'y aura d'autres Kip Keino ou Mike Boit, la vainqueur de la course de 800 à Edmonton; John Kipkurgat, Amos Biwott et, bien sûr Henry Rono, qui parviennent tous d'une région avec une population de moins de 100,000 habitants.

Ils ont aidé à rendre un succès tout spécial aux Jeux d'Edmonton.

Dans un autre évènement du sixième jour, l'Anglais Oliver Flynn gagna sa première marche de 30 kilomètres pour établir un nouveau record de 2:22:03.7.

Les conditions de température étaient atroces pour ce pauvre Flynn avec 25°C et une toute petite brise. Ces conditions furent pires pour lui puisqu'il a des maux d'estomac qui lui empêchent de boire quoi que soit pendant une course de ce genre. Et alors, tandis que les autres s'arrêtaient pour boire à toutes les stations d'approvisionnement, ce courtier d'assurance de Londres, âgé de 25 ans se débattait avec des sentiments de faiblesse et continua son chemin pour battre l'Australien Willie Sawall par 55 secondes.

Plus tard, dans cette même journée, dans la salle de gymnastiques, Elfi Schlegel de Toronto qui, placée près de Olga Korbut et Nadia Comaneci aurait l'air d'un enfant, conduit les filles Canadiennes à travers leurs sauts, balancements et exercices de sol afin de prendre toutes les médailles de gymnastiques.

Cette épreuve fut entièrement nouvelle au programme et ce sera peut-être la dernière fois qu'elle apparaîtra, puisqu'on l'a exclue des Jeux de Brisbane pour l'an 1982. A Edmonton cet évènement provoca un intérêt inédit puisque quelques jours après la sortie des billets, les quatre épreuves étaient complètement pleines.

Même si la gymnastique n'est pas une épreuve très connue dans tous les coins du Commonwealth, c'est un sport qui est entièrement solide au Canada avec un croissement rapide en Angleterre, Australie et Nouvelle-Zélande, tout en créant des intérêts dans d'autres sports.

La grande surprise pour la foule fut la suivante: tandis que les nouvelles compétitrices internationales telles que Monica Goermann de Schlegel, Winnipeg et Sherry Hawco de Cambridge en Ontario emportaient toutes les médailles, la petite favorite, Karen Kelsall de Surrey en Colombie Britannique finissait toujours quatrième. Tout ce qu'elle fit, fut de pivoter une fois de trop dans un double saut et ce fut suffisant pour la remettre à la quatrième place. Voilà la compétition de gymnastique du Canada en 1978.

Finalement à l'Auditorium du Jubilé, le Canadien Russ Prior souleva 434.5 livres au-dessus de sa tête où il le tenu pour la limite requise tout en portant un sourire. Quand il laissa tomber le poids, il était sûr du championat, son troisième consécutif dans les Jeux du Commonwealth.

Cela fait, il annonça sa retraite.

SEPTIÈME JOUR

Ou sont-ils ces "Jeux de l'Amitié"?

Quand les équipes de nage sont rentrées dans la nouvelle piscine du Commonwealth ce 4 août, 1978, d'autres gens que les Canadiens eurent une grande surprise. Les nageurs Canadiens avaient réservé et encordonné toute une section des gradins près de l'entrée où devaient passer tous les athlètes avant de pouvoir prendre leurs places sur les blocs de démarrage en plus d'avoir des placards avec le slogan: "Pour Canadiens Seulement".

Et puis commencèrent les applaudissements. Les jeunes demoiselles dansaient le long du pont de la piscine en signalant avec animation l'eau, tout en chantant "N'est-ce pas la piscine?"

Les canadiens qui demeurèrent dans leurs sièges répondaient en choeur "Qui, voilà la piscine!". Ce jeu burlesque continua à l'étonnement de la foule, des officiels et du Média International jusqu'à ce que la chanson se termine avec les doigts qui signalaient la section des Australiens avec le chant "N'est-ce pas l'équipe qui va perdre?" avec la réponse "Oui, c'est l'équipe qui va perdre!"

Ceci fut repris immédiatement par les filles avec "Ne sommes nous pas l'équipe qui va gagner?" avec réponse automatique "Oui, nous sommes l'équipe qui va gagner!"

La plupart des nageurs des autres équipes y voyaient de l'humour et pas un d'entre eux n'admit que cela leur avait causé quel qu'ennui que ce soit. En effet, n'importe quel athlète qui aurait été exposé à l'applaudissement organisé des championats du National Collegiate Athletic Association des Etats-Unis trouverait ce qui s'est passé à Edmonton un peu léger en réalité.

Toutefois, dans les écrits du corps de presse internationale, ce fut source de cause célèbre, un exemple de première catégorie du nationalisme rampant du Canada, symbole par excellence annonçant la fin des "Jeux de l'Amitié", la fin des jours dans lesquels le "simple fait d'être là" comptait plus que de gagner ou de perdre et que ce genre de "Jeux" devenait rapidement une chose du passé.

En effet, ceux qui croyaient vraiment à cet esprit, surtout à ce niveau de compétition, ne vivaient qu'un mythe. Ils devraient retourner voir l'éclat mondial que produit "l'affaire" de race entre les athlètes des Iles du Caraïbe et de l'Afrique du Sud dans les Jeux de 1938 de Sydney pour voir un exemple de vrai amertume parmi les membres de la "famille" du Commonwealth.

Les nageurs Canadiens à Edmonton n'essayaient guère de noircir les capacités des autres nageurs du Commonwealth. En fait, ils applaudirent en hurlant "Vas-y Tracey" quand Tracey Wickham avait battu le record mondial dans l'épreuve de 800 mètres. Ils applaudirent aussi quand la même nageuse manqua de près son deuxième record mondial de la journée dans le style libre de 400 mètres. Et, à la fin de la compétition, les Canadiens restèrent jusqu'à la fin pour voir et applaudir tous les autres participants.

Ce que faisaient en effet ces canadiens, c'était tout simplement d'utiliser à un maximum le nouveau champ théorique de la psychologie du sport tout en essayant de se rehausser l'esprit afin d'atteindre un niveau plus élevé d'effort et de faire tomber en déséquilibre leurs adversaires qui en avaient atteint le sommet.

L'expatrié Canadien et présent entraîneur de l'équipe Australienne, Don Talbot expliquait: "Le Canada avait laissé dominer les Etats-Unis dans la piscine des Jeux Olympiques de Montréal et, cette fois, on était résolu à ne pas faire la même chose. Les Canadiens ont un grave problème de l'image propre dans tous les sports sauf le hockey. La vérité, c'est qu'ils n'ont pas beaucoup de confiance. Ceci s'est toujours démontré auparavant avec les nageurs et surtout dans les foules canadiennes. Nous ne voulions voir une répétition des mêmes effets à Edmonton et nous ne voulons nous excuser de notre conduite".

Aucun des entraîneurs ou directeurs d'équipes ne laissa échapper aucun plainte. Que sait-on? Ce genre d'attitude sera peut-être vieux-jeu avant les prochains Jeux du Commonwealth à Brisbane en 1982.

Chacun des Jeux du Commonwealth eut sa controverse et ceux d'Edmonton ne furent l'exception. Le premier exemple eut lieu sur la piste de cyclisme quand les deux cyclistes acharnés de l'Angleterre David LeGrys et Trevor Gladd firent tomber le tandem de la Nouvelle-Zélande Eric McKenzie et Charles Fabish.

Sous d'étranges règlements de cyclisme, l'équipe Anglaise fut enlevée de l'épreuve mais seulement que pour une des trois éliminatoires. C'est alors que nous avons vu les Néo-zélandais trop blessés pour continuer tandis que l'Angleterre pouvait rencontrer le Canada dans l'épreuve finale. La rencontre se termina avec une crevaison du pneu de derrière sur la bicyclette des Anglais.

Il y eut une autre controverse sur la sellette de lutte quand Roddy MacDonald frappa définitivement l'Anglais Delroy Parkes et qui fut ensuite enlevé de la joute pour avoir frappé Parkes lorsqu'il était à genoux. Chose étrange, on ne renvoya Roddy que lorsque l'officiel eut conté le numéro symbolique qui donnait la décision à MacDonald.

Le dernier jour des Jeux il y eut une autre controverse sur le lieu de piste et de pelouse quand le Kenya emporta la médaille d'or dans le 1,600 mètres et que l'Angleterre fut disqualifiée pour avoir coupé court le coureur de Kenya pendant la troisième tournée. L'équipe Anglaise se plaignit de "la fin des Jeux de l'Amitié" et celle de Kenya refusa de paraître dans les conférences de presse.

Ceux-ci ne furent que des exemples extraordinaires. Il y eut un grand nombre d'exemples de l'ancien esprit des Jeux. De petites histoires telles que celle de l'haltérophile des Iles Turks et Caicos qui vint sans expérience et fut placé sous l'aile de l'équipe canadienne. Toutes ces réunions clandestines sur la piste et dans les chambres du Village des Athlètes avec l'échange constant d'informations, de renseignements et d'avis. Les excellents spectacles culturels accompagnés des danseurs Festival '78 de tous les soirs dans le wagon de ces derniers, à l'école secondaire Victoria Composite.

Voilà de quoi il s'agit quand on parle des "Jeux de l'Amitié" et l'esprit de ces Jeux, de ces compétitions entre amis était aussi présent à Edmonton qu'il le fut dans les dix autres Jeux du Commonwealth. Ce nom vivra jusqu'à ce qu'il n'y ait plus de "Commonwealth".

HUITIÈME JOUR

La majorité des athlètes dans n'importe lequel des Jeux du Commonwealth travaillent sans l'ombre de la média, loin des bruits et brouhahas des conférences de presse que les étoiles de piste et de piscine. Ce fait n'est aucunement dû au manque de mérites de ces athlètes mais plutôt au nombre relativement réduit de chroniqueurs qui sont présents pour couvrir le grand nombre de sports.

Pour cette raison, l'ont voit Precious McKenzie qui fait le lézard sous les lumières de la scène le soir de l'ouverture, même s'il est en train de gagner sa quatrième médaille d'or de suite tandis que David Bryant, âgé de 47 ans qui proviennent de la même ville de Bristol en Angleterre qu'il partage avec ce petit exproprié de l'Afrique du Sud, continue tranquillement sa compétition sur le boulingrin.

"L'Affaire" de Bryant est de rester aussi calme que possible afin de faire preuve au monde entier qu'il est toujours le meilleur joueur de boules.

Bryant n'est pas une étoile du cinéma. Il est un de ces gentil-hommes, un perfectionniste absolu qui travaille d'assistant à la conception et à la construction de boulingrins d'intérieur et d'extérieur à travers le monde entier.

Il est le modèle même du contrôle de soi, un homme qui a su dominer l'art — et ce sport peut devenir un art à ces niveaux de compétitions —, de contrôle et de discipline. Celui-ci fait preuve de posséder les caractéristiques d'un stratégiste militaire ou d'un directeur d'affaires qui peut se contrôler tout en travaillant sous l'énorme pression constante du monde des affaires.

L'historique du jeu de boules est plein de ce genre d'hommes jusqu'aux temps de Sir Francis Drake qui refusa de combattre l'Armade Espagnole jusqu'à ce qu'il ait complété son jeu sur le boulingrin.

Comme Precious McKenzie, David Bryant a réussi à remporter à Bristol sa quatrième médaille consécutive dans son sport. Celle-ci est la première fois que cet exploit est accompli sous les couleurs du même pays du Commonwealth. De plus, cette médaille fut, en fait, la cinquième d'or que Bryant ait gagné puisqu'il gagna celle de Perth en Australie en 1962 comme membre de l'équipe de quatre de l'Angleterre.

En vérité, nous croyons que Bryant ait laissé au Canada, et surtout à Edmonton, plus qu'il en ait enlevé puisque pendant son séjour à Edmonton, son premier au Canada de 16 ans de championnat, il essayait de faire accepter l'idée de construire des boulingrins à l'intérieur pour des Jeux d'Hiver.

"C'est tout ce dont vous avez besoin au Canada — disait-il —, et cela viendra, j'en suis persuadé".

Toutefois, les joueurs de boules ne sont pas les seuls à avoir besoin de nerfs d'acier afin de produire de bons résultats dans les Jeux du Commonwealth. Ce même genre de calme se requiert aussi chez les tireurs qui passèrent une semaine entière aux terrains de tir de Strathcona et de Palomino à Calgary.

Les terrains de tir furent la scène pour les deuxièmes médailles de suite pour les tireurs tels que John Primrose (tireur de fosse) et du D. Jules Sobrian, tireur de pistolet à tir rapide.

Le tir est un événement qui peut proportionner des désillusions de conforts et de bienséance losqu'on fait épreuve dans son propre canton. Ceci fut précisément le cas de Susan Nattrass d'Edmonton, l'athlète canadienne de l'année en 1977 en plus d'être championne des Olympiques de Montréal, lorsqu'elle ne fut acceptée sur l'équipe canadienne. Les tireurs sont très souvent mieux lorsqu'ils sont loin des pressions de leur propre ville, parents et amis, dans un endroit où ils peuvent se laisser glisser dans l'ambiance de tranquilité que requiert cette compétition.

Vu dans cette lumière, les quatre médailles d'or obtenues par l'équipe Canadienne: tir rapide (Sobrian), tir libre (Yvon Trempe), tir de fusil à gros calibre (Desmond et Vamplew) et tir de fosse (Primrose) furent un spectacle extraordinaire.

De pareilles rivalités et réceptions de médailles de la part d'amis ont fait grande partie de ces XIe Jeux du Commonwealth, le cas classique étant la course pour femmes de 3,000 mètres. Dans cette course, deux anglaises, Paula Fudge et Ann Ford, gagnèrent les médailles d'or et de bronze.

Cette course, à la fin du programme du lundi, fut très ardue avec des vents qui ralentirent les filles à près de 40 secondes sous le record mondial. A la fin de la rencontre ces deux concurrentes et gagnantes de médailles choisirent de partager leurs émotions entre elles au lieu de se présenter à la conférence de presse internationale. Ann Ford, qui obtint le meilleur minutage d'entrée, signala que si c'était à recommencer, elle ne résiderait pas dans la même chambre que sa compagne d'équipe.

"Surtout pas quand nous voulons gagner toutes les deux".

De même dans la finale de badminton pour femmes quand Sylvia Ng de la Malaisie rencontra sa compagne d'équipe et sa meilleure amie, Katherine Teh. L'entraîneur malaisien, Punch Gunalan, ne put offrir de conseils à ni l'une ni l'autre et quand le tout eut été terminé, Ng se mit à pleurer lors de la réception des médailles.

Dans la lutte, Kelly Perlette de Spruce Grove, Alberta, obtint une décision de controverse dans le premier tour contre Luigi Nuti de la Tanzanie, tour qui laissa Perlette avec une coupure sur l'oeil et le nez cassé. En dépit de ses blessures, qui auraient pu l'éliminer des autres compétitions, Perlette continua pour gagner la médaille d'or dans la catégorie légère de poids intermédiaires.

En gymnastique, Phillip Delesalle de la Colombie Britannique, l'un des meilleurs athlètes sur l'arçon, envisagea une lutte surprenante de la part de Ian Neale de l'Angleterre pour la médaille d'or donnée au meilleur athlète du tout. Cette épreuve attira une foule de 16,000 personnes au Colisée qui ne pouvait cessé de s'emerveiller de la force incroyable de ces deux jeunes hommes.

Le fait de s'asseoir et de voir un jeune homme maintenir une position fixe sur les anneaux nous laisse avec une émotion et un sentiment pleins d'étonnement.

Ce qui est le plus surprenant est le fait que nous pouvions voir ces deux jeunes hommes demandant de l'aide pour ouvrir deux boîtes de brevages carbonisés que quelques minutes après ces tours de force. Le problème est tout-à-fait simple: ces athlètes coupent leurs ongles tellement courts, afin de ne pas s'égratigner pendant leurs joutes, qu'ils perdent toute force de levier dans leurs doigts.

Toutefois, personne ne put faire compétition avec la vive émotion de Ahmedur Rahman Bablu qui, ayant arrivé à Edmonton seul, se vante d'avoir accompli une simple routine de débutant, ayant comme récompense le seul fait de se faire serrer entre les bras de son entraîneur adoptif, un maître d'école secondaire qui lui fut assigné quand les officiels des Jeux s'aperçurent qu'il était seul.

Celle-ci fut une des plus belles scènes des XIe Jeux du Commonwealth.

NEUVIÈME JOUR

Gidemas Shahanga avait voulu courir le marathon depuis l'âge de 15 ans, surtout après avoir entendu parler des exploits internationaux d'un voisin et membre de la tribu d'Iraq, Filbert Bayi.

Ceci semblait assez normal puisque même si le jeune Gidemas n'avait atteint aucune vitesse de nature, il avait toujours été capable de courir de longues distances avec relativement peu d'effort. Il courrait 13 milles chaque jour pour se rendre à l'école.

"Mais il est tellement jeune — signalait l'entraîneur de l'équipe de piste nationale de la Tanzanie —, que nous avons peur de le laisser courir. Nous lui avons dit de courir moins loin et d'attendre à ce qu'il vieillisse avant d'essayer de courir les 26 milles, 385 verges du marathon. Mais un an plus tard, il était de retour avec la même demande. Nous lui avons rendu la même réponse — c'est impossible".

C'est alors que Gidemas Shahanga, âgé de 17 ans, réalisa son propos. Les officiels de l'équipe de piste lui permirent de faire compétition dans le marathon du Championnat de l'Afrique de l'Est, permission qu'ils donnaient avec beaucoup de réserves.

Zambi se souvient du fait suivant: "Il était en mi-course et à peut-être 5 minutes du leader et demandait encore pour des indications. Je lui signalai qu'il devrai se clamer particulièrement parce qu'il était nu-pieds et qu'il n'essayait même pas de rejoindre ceux qui étaient en première place. Toutefois, je crois qu'il doubla peut-être une demi-douzaine des coureurs dans la dernière moitié de la course avec un minutage de 2:22".

Ce succès était absolument remarquable pour un jeune de son âge. Il n'y eut aucune surprise quand il fut nommé comme représentant pour la Tanzanie dans les Jeux Africains de l'Algiers de juin, 1978.

La journée arriva accompagnée d'une chaleur de 110 degrés F, jour peu favorable particulièrement pour le jeune Gidemas (alors âgé de 19 ans) qui faisait son début international vêtu de sa première paire de souliers de piste.

"Savez-vous — nous dit Zambi —, les souliers ne lui faisaient pas du tout. A la mi-course, il s'assied sur le côté de la piste et les enlevaient. Il courrut pour sept ou huit milles avec ses souliers dans ses mains et ses pieds lui faisaient tellement mal qu'il s'est assis et remit les souliers".

En dépis de ces difficultés, Gidemas arriva septième dans l'épreuve d'Algiers avec un minutage de 2:17. Aucun des coureurs qui avait participé à cette course ne devait venir à Edmonton. On ne court normalement pas deux marathons en deux semaines; le métabolisme corporel n'y tient vraiment pas, mais personne n'avait expliqué ce fait à Gidemas Shahanga. Tout ce qu'il savait c'était qu'il avait raté l'occasion d'obtenir une gloire comparable à celle de Filbert Bayi. Un autre marathon se produisait à Edmonton dans deux semaines; on pouvait trouver de bons souliers de piste et, il voulait être là.

Erasto Zambi ne pouvait refuser sa supplication. Shahanga fut envoyé aux XIe Jeux du Commonwealth à Edmonton.

"Nous lui avons dit de se maintenir en mesure avec le leader pour une fois — signala l'entraîneur —, juste pour voir s'il pouvait suivre le rythme. Vraiment, nous nous attendions à ne rien voir".

Le jeune Gidemas allait faire preuve qu'il ne pouvait écouter. C'est vrai qu'il suivit les bons conseils pour les trois premiers milles mais il tomba en 15e place. Au delà de la mi-course, le Néo-zélandais Kevin Ryan fit son premier effort et dans près de trois milles c'était une course à trois entre Ryan et deux Canadiens: le vétéran, Jerome Drayton et le jeune greffe de Glasgow, Paul Bannon.

Dans les prochains six milles, Bannon fit son effort mais quatre milles plus tard ses poings se serraient, ses bras se soulevaient et son pas se racoursissait. Dans l'argot des coureurs de longues distances, Bannon "frappait le mur".

Drayton, laissant voir une expression totalement passive sous ses lunettes de soleil, le dépassa et prit la devance avec un air calme, plein de confiance, relativement rafraîchi en courant tout aisément.

A un point il se détourna pour voir Gidemas Shahanga en troisième place mais encore loin avec près de 19 secondes qui les séparaient.

A ce moment, le champion de la course de 10,000 mètres des Jeux, Brendan Foster, qui s'était soulagé en montant sur le camion

de la presse, commença à prendre un vif intérêt dans le jeune homme de la Tanzanie qui semblait être tout plein de vie, même si la course s'achevait.

"Vas-y — cria-il de son placement sur le côté du camion —, cours comme Filbert. Tu peux encore gagner cette affaire".

La prochaine fois que Drayton se détourna pour voir qui était derrière lui, le stade juste en face, il n'avait que 25 verges qui les séparaient et en un rien de temps cette distance fut réduite à un rien du tout. Il n'y eut aucune lutte tête-à-tête, puisque Shahanga s'envola au delà de Drayton pour prendre la devance au même instant que les deux coureurs passaient au long du stade. Témoin d'une énorme déception, Drayton ralentit son pas à presqu'une marche.

Shahanga continua sa course comme un wagon d'express ne permettant qu'une minute pour que l'annonceur publique se rende compte et se réajuste au changement des premières places. Il était en train de courir le dernier mille dans 4 minutes 40 secondes et une fois entré au stade, au milieu d'une ovation assourdissante, il courut les derniers 200 mètres en 33 secondes.

Les souliers allaient à perfection. Les physiologistes du monde entier voyaient une autre défaite grâce aux efforts des coureurs de la vallée africaine du Rift. Erasto Zambi s'évanouissait presque tellement il reçut un choc et la délégation entière de la Tanzanie dansait dans les gradins du stade, les bras élevés et poussant des cris de joie.

Shahanga venait de courir sa tournée de victoire comme un homme qui n'a aucun souci. L'exploit athlétique le plus difficile au monde venait de s'accomplir avec une facilité surprenante.

Une heure plus tard, après la présentation des médailles, Gidemas rencontra les agents de presse et fit l'expérience d'un choc culturel. Il ne savait ce que c'était qu'une autographe, non plus quel âge il avait puisque personne ne lui avait posé ces questions auparavant. Il signala qu'il avait 21 ans, âge limite pour commander une bière dans la province de l'Alberta.

Gidemas signala aussi qu'il n'était pas allé à l'école secondaire; il était travailleur, non pas écolier.

Mais comme il court le marathon! Son minutage de 2:15:39.76 dans les XIe Jeux du Commonwealth à Edmonton sera dans les souvenirs de tous et chacun pour les années à suivre.

DIXIÈME JOUR

Ce fut un ciel obscur et nuageux qui accueilla ceux qui se sont levés juste après l'aube sur ce dixième et dernier jour des compétitions des XIe Jeux du Commonwealth; ciel qui dessina des regards sévères et des froncements de sourcils sur les visages des 49 coureurs de 17 pays qui se plaçaient sur la ligne de sortie à sept heures du matin pour la course de cyclisme sur route de 117 milles.

Devraient-ils sortir avec des pneumatiques de pluie ou avec ceux de grande vitesse et attendre ce qu'apporterait l'avenir? Une secousse violente en passant par les "esses" du 'Groat Road' pourrait leur coûter la victoire.

Le météorlogiste, pour ainsi dire, sourit enfin sur 80 milles de la course cycliste sur route, promettant un ciel nuageux mais sans pluie et une température refroidie qui permit aux cyclistes une moyenne de 27 milles à l'heure dans les sections de pentes de cette épuisante course. La plupart des observateurs ne croyaient qu'il y aurait une autre piste au monde qui aurait permit telle vitesse.

Tout au début, les 49 coureurs se tenaient ensemble mais après quelque temps, six d'entre eux se séparèrent des autres pour prendre la devance.

Dès le onzième des quinze tours, Pierre Harvey de Rimouski, Québec, prit la devance de ce groupe avec une séparation individuelle de près de 30 secondes et, quand personne ne le rejoint, il s'arrêta pour prendre des rafraîchissements et attendre les autres. Les deux coureurs qui se rapprochèrent de lui furent Philip Anderson de l'Australie et Garry Bell de la Nouvelle-Zélande.

Ces trois coureurs se sont maintenus ensembles jusqu'à la mi-107ᵉ avenue où Anderson et ensuite Harvey tombèrent sur la piste qui était devenue glissante. Tandis qu'Anderson et Harvey se relevaient, le Néozélandais prit la devance, mais cela ne dura point et, avant la fin d'une autre tournée, les trois se rencontraient ensemble encore une fois.

Ils sont restés ainsi jusqu'à la dernière tournée où Harvey essaya de prendre la devance.

Comme est souvent le cas, ce genre de tactique ne fonctionne presque jamais comme le démontra l'Australien Anderson qui suiva Harvey pour quelques secondes avant de sprinter dans les derniers 100 mètres pour emporter la médaille d'or.

Et puis ce fut au tour des événements de piste et de pelouse encore une fois et l'évènement par exellence depuis que Roger Bannister de l'Angleterre dépassa John Landy de l'Australie pour gagner le Mille du siècle dans les Jeux de l'Empire Britannique de 1954 à Vancouver.

Ce fut la course du mille. En 1978, ce fut le mille de 1,500 mètres. Il y avait ceux qui croyaient voir s'éclipser la course Ban-nister-Landy de 1954 puisque l'on croyait voir une lutte entre Filbert Bayi, le champion des 1,500 mètres de la Tanzanie, contre le champion modial du mille, John Walker de la Nouvelle-Zélande.

Walker commença a ressentir des maux de jambes qui le conduisirent à une salle d'opérations et à la fin de ses rêves de championat dans les Jeux du Commonwealth.

Les rêves de Bayi ont tourné en cauchemar quand une grosse pluie commença à tomber une heure et demi avant le début de la finale de 1,500 mètres. Bayi, qui vit sous l'ombre du Mont Kilimanjaro, souffre d'une espèce de malaria chronique qui l'attaque jusqu'à quatre fois pendant une année. Il ne peut courir dans la pluie et surtout, pas immédiatement à la suite d'une pluie après une journée de grande chaleur.

Il n'avait aucun choix ce 12 août, 1978; c'était ou laisser tomber le tout ou risquer d'être sous les effets de la malaria encore une fois.

"J'ai commencer à suer même avant le départ, pendant les exercices de réchauffement — nous assurait Bayi —, et puis je suis passé aux frissons quand ils ont appelé, au moment de commencer."

Ses plans de pouvoir courir les premiers 400 mètres dans 53 ou 54 secondes étaient ratés. Il ne pourrait répéter sa stratégie de Christchurch de 1974 où il réussit à établir le record mondial. Quand Bayi marque la mesure de la course, personne ne peut le rejoindre. Il perd complètement contact avec ses adversaires tout au début de la course et maintient son propre rythme et vitesse.

Mais cette fois les premiers 400 mètres prirent 57.5 secondes et Filbert était aucunement là. En comparaison, à Christchurch, la course de Bayi avait la semblance d'une épreuve de conte de fée.

A Edmonton, il semblait un vieux renard suivi de près par les chiens de chasse. Les "chiens" dans ce cas n'étaient autres que l'Anglais David Moorcroft, un maître d'école âgé de 25 ans qui fait son entraînement en Nouvelle-Zélande pendant les mois d'hiver, et les deux Ecossais: John Robson et Frank Clement.

Ce que l'on dit de Bayi c'est si on peut rester avec lui pendant les premiers 1,400 mètres, on peut l'attraper dans le circuit de l'arrivé. C'est précisément ce que fit Moorcroft. Il est resté derrière Bayi pendant les 800 mètres d'un minutage de 1:55 et 1,200 mètres avec un minutage de 2:53.9 avant de s'élancer vers l'arrivée. Il gagna avec un minutage excellent de 3:35.48 et emporta le record de catégorie mondial de l'année pour cette distance intermédiaire. Bayi a réussi à battre Robson pour la médaille d'argent par un centième de seconde.

Dans une comparaison de temps seulement, le D. Roger Bannister qui fit la présentation de médailles aurait été 50 mètres derrière le gagnant.

Et, finalement, avec une constante menace des éléments, les cérémonies de clôture eurent lieu. Ce fut un spectacle spectaculaire débuté par le groupe Festival '78 avec chants, danses et artistes folkloriques de tous les coins du Commonwealth. Il y eut des danseurs chinois du Hong-kong avec leurs drôles de lions, les danseurs de feu de la Samoa, les joueurs d'épées du Punjab et un choeur du Pays de Galles.

Lorsque les athlètes eurent sortis au lieu de compétitions pour la partie formelle de cette finale, tous chantaient et dansaient, ou voulaient y être.

A la fin, le tableau de minutage proclamait "Nous nous reverons à Brisbane en 1982". Des milliers de personnes qui ne voulaient que les Jeux se terminent sont restés afin de savourer les dernières minutes. Henry Rono fit une dernière tournée du circuit suit d'un groupe de coureurs de Kenya et Precious McKenzie guida un groupe de danseurs.

Le chant "Avant de nous quitter, amis" continua interminablement tandis que la foule se balançait comme une seule personne puisque tous étaient joints par un bras commun.

Statistics

The XI Commonwealth Games
Edmonton '78

LEGEND

Les statistiques

Les XIe Jeux du Commonwealth
Edmonton '78

LÉGENDE

Date of Competition	= A =	Date de l'épreuve
Place of Competition	= B =	Lieu de l'épreuve
Number of Competitors	= C =	Nombre de participants
World Record	= WR =	Record mondial
Commonwealth Record	= CR =	Record du Commonwealth
Games Record	= GR =	Record des Jeux
Commonwealth Stadium	= C.S. =	Stade du Commonwealth
Kinsmen Aquatic Centre	= K.A.C. =	Centre Aquatique Kinsmen
Jubilee Auditorium	= J.A. =	Auditorium du Jubilé
Strathcona Range	= S.R. =	Terrain de Strathcona
Palomino Range	= P.R. =	Terrain de Palomino
University of Alberta Gymnasium	= U.A.G. =	Gymnase de Université de l'Alberta
University of Alberta Arena	= U.A.G. =	Arine de Université de l'Alberta
Argyll Velodrome	= A.V. =	Velòdrome d'Argyll
Coronation Greens	= C.G. =	Boulingrin Coronation
Edmonton Gardens	= E.G. =	Les Jardins d'Edmonton
Edmonton Coliseum	= E.C. =	Le Colisée d'Edmonton
Kilograms	= KGS =	Kilo grammes
Meters	= M =	Mètres
Kilometers	= Km =	Kilomètres

Antigua/Antigua (ANT)
Australia/Australie (AUS)
Bahamas/Bahamas (BAH)
Bangladesh/Bangladesh (BAN)
Barbados/Barbades (BAR)
Belize/Belize (BEL)
Bermuda/Bermudes (BER)
Brunei/Brunei (BRU)
Canada/Canada (CAN)
Cayman Islands/Ile de Caïman (CAY)
Cook Islands/Ile de Cook (COO)
Cyprus/Chyre (CYP)
England/Angleterre (ENG)
Fiji/Ile de Fidji (FIJ)
Gambia/Gambie (GAM)
Ghana/Ghana (GHA)
Gilbraltar/Gilbraltar (GIB)
Granada/Granada (GRE)
Guernsey/Guernesey (GRN)
Guyana/Guyane (GYA)

Hong Kong/Hong-Kong (HKG)
India/Indie (IND)
Isle of Man/Ile de Man (MAN)
Jamaica/Jamaique (JAM)
Jersey/Jersey (JER)
Kenya/Kenya (KEN)
Lesotho/Lesotho (LES)
Malawi/Malawi (MLW)
Malaysia/Malaisie (MSA)
Mauritius/Mauritius (MRU)
New Zealand/Nouvelle Zelande (NZL)
Nigeria/Nigeria (NGR)
Northern Ireland/Irlande du Nord (NIR)
Papua/New Guinea/Papouasie/Nouvelle Guinée (PNG)
Scotland/Ecosse (SCO)
Sierra Leone/Sierra Leone (SIE)
Singapore/Singapour (SIN)
Sri Lanka/Sri Lanka (SLA)
St. Kitts/St. Kitts (STK)
St. Lucia/St. Lucie (STL)

St. Vincent/St. Vincent (STV)
Swaziland/Swaziland (SWZ)
Tanzania/Tanzanie (TAN)
Trinidad-Tobago/Trinte-Tobago (TRI)
Turks & Caicos/Ile Turk et Caïcos (TUR)
Wales/Pays de Galles (WAL)
Western Samoa/La Samoi Occidental (WSA)
Zambia/Zambie (ZAM)

COUNTRY LES PAYS	GOLD OR	SILVER ARGENT	BRONZE BRONZE	TOTAL TOTAL
AUS	24	33	27	84
BAH	0	1	0	1
CAN	45	31	33	109
ENG	27	28	32	87
GHA	1	1	1	3
GYA	1	1	1	3
HKG	2	0	0	2
IND	5	4	6	15
MAN	0	0	1	1
JAM	2	2	3	7
KEN	7	6	5	18
MSA	1	2	1	4
NZL	5	6	9	20
NIR	2	1	2	5
PNG	0	1	0	1
SCO	3	6	5	14
TAN	1	1	0	2
TRI	0	2	2	4
WAL	2	1	5	8
WSA	0	0	3	3
ZAM	0	2	2	4

ATHLETICS — MEN / ATHLETISME — HOMME

100 METERS / 100 METRES

A. Aug. 7/78 **B.** C.S.　　**C.** 48　　**WR.** 9.95　**CR.** 10.04　**GR.** 10.19

PLACE	NAME/NOM	COUNTRY/PAYS	
1	Quarrie, Donald	Jamaica	10.03
2	Wells, Allan	Scotland	10.07
3	Crawford, Hasely	Trinidad-Tobago	10.09
4	Gilkes, James	Guyana	10.15
5	McFarland, Michael Antony	England	10.29
6	Narracott, Paul Andrew	Australia	10.31

110 METER HURDLES / 110 METRES HAIES

A. Aug. 7/78 **B.** C.S.　　**C.** 16　　**WR.** 13.21　**CR.** 13.69　**GR.** 13.66

PLACE	NAME/NOM	COUNTRY/PAYS	
1	Price, Berwyn	Wales	13.70
2	Binnington, Maxwell (Max)	Australia	13.73
3	Parr, Warren	Australia	13.73
4	Kimaiyo, Fatwell	Kenya	13.75
5	Sang, Philip	Kenya	13.97
6	Mills, Phillip David	New Zealand	14.09

200 METERS / 200 METRES

A. Aug. 10/78 **B.** C.S.　　**C.** 40　　**WR.** 19.83　**CR.** 19.85　**GR.** 20.43

PLACE	NAME/NOM	COUNTRY/PAYS	
1	Wells, Allan	Scotland	20.12
2	Gilkes, James	Guyana	20.18
3	Bradford, Colin	Jamaica	20.43
4	Narracott, Paul Andrew	Australia	20.74
5	Brown, Floyd Lee	Jamaica	20.79
6	Hopkins, Richard John C.	Australia	20.88

400 METERS / 400 METRES

A. Aug. 7/78 **B.** C.S.　　**C.** 48　　**WR.** 43.86　**CR.** 44.92　**GR.** 45.01

PLACE	NAME/NOM	COUNTRY/PAYS	
1	Mitchell, Richard Charles	Australia	46.34
2	Coombs, Joseph	Trinidad-Tobago	46.54
3	Bogue, Glenn Patrick	Canada	46.63
4	Solomon, Michael	Trinidad-Tobago	46.97
5	Cohen, Glendon Howard	England	46.99
6	Ashton, Richard	England	47.32

400 METERS HURDLES / 400 METRES HAIES

A. Aug. 10/78 **B.** C.S.　　**C.** 16　　**WR.** 47.45　**CR.** 47.82　**GR.** 48.83

PLACE	NAME/NOM	COUNTRY/PAYS	
1	Kimaiyo, Daniel	Kenya	49.48
2	Brown, Garry Bernard	Australia	50.04
3	Pascoe, Alan Peter	England	50.09
4	Kipchumba, Peter	Kenya	50.50
5	Koskei, William	Kenya	50.69
6	Bariffe, Clive	Jamaica	51.50

800 METERS / 800 METRES

A. Aug. 10/78 **B.** C.S.　　**C.** 32　　**WR.** 1:43.40　**CR.** 1:43.60　**GR.** 1:43.90

PLACE	NAME/NOM	COUNTRY/PAYS	
1	Boit, Mike	Kenya	1:46.39
2	Newman, Seymour	Jamaica	1:47.30
3	Lemashon, Peter	Kenya	1:47.57
4	Darvall, Chum	Australia	1:47.74
5	Cook, Garry Peter	England	1:48.06
6	Zinentah, Halidu	Ghana	1:48.15

1500 METERS / 1500 METRES

A. Aug. 12/78 **B.** C.S.　　**C.** 30　　**WR.** 3:32.20　**CR.** 3:32.20　**GR.** 3:32.20

PLACE	NAME/NOM	COUNTRY/PAYS	
1	Moorcroft, David Robert	England	3:35.48
2	Bayi, Filbert	Tanzania	3:35.59
3	Robson, John	Scotland	3:35.60
4	Clement, Frank	Scotland	3:35.66
5	Waigwa, Wilson	Kenya	3:37.49
6	Grant, Glen Arthur B.	Wales	3:38.05

3,000 METER STEEPLE / 3,000 METRE STEEPLE

A. Aug. 7/78 **B.** C.S.　　**C.** 14　　**WR.** 8:05.40　**CR.** 8:05.40　**GR.** 8:20.80

PLACE	NAME/NOM	COUNTRY/PAYS	
1	Rono, Henry	Kenya	8:26.54
2	Munyala, James	Kenya	8:32.21
3	Rono, Kiprotich	Kenya	8:34.07
4	Robertson, Euan James	New Zealand	8:41.32
5	Healey, Howard Neville	New Zealand	8:43.75
6	Coates, Dennis Malcom	England	8:47.35

5000 METERS / 5000 METRES

A. Aug. 12/78 **B.** C.S.　　**C.** 24　　**WR.** 13:08.40　**CR.** 13:08.40　**GR.** 13:14.40

PLACE	NAME/NOM	COUNTRY/PAYS	
1	Rono, Henry	Kenya	13:23.04
2	Musyoki, Michael	Kenya	13:29.92
3	Foster, Brendan	England	13:31.35
4	McLeod, Michael James	England	13:33.20
5	Nyambui, Suleiman	Tanzania	13:34.08
6	Muir, Nathaniel	Scotland	13:34.94

10,000 METERS / 10,000 METRES

A. Aug. 6/78 **B.** C.S.　　**C.** 23　　**WR.** 27:22.50　**CR.** 27:22.50　**GR.** 27:46.40

PLACE	NAME/NOM	COUNTRY/PAYS	
1	Foster, Brendan	England	28:13.65
2	Musyoki, Michael	Kenya	28:19.14
3	McLeod, Michael James	England	28:34.30
4	Black, David John	England	28:37.90
5	Nyambui, Suleiman	Tanzania	28:56.65
6	Simmons, Anthony Derrick	Wales	29:01.23

ROAD WALK — MARCHE

A. Aug. 8/78 B. C.S. C. 16

PLACE	NAME/NOM	COUNTRY/PAYS	
1	Flynn, Oliver	England	2:22:03.70
2	Sawall, Willi	Australia	2:22:58.58
3	Erickson, Timothy	Australia	2:26:33.97
4	Adams, Brian	England	2:29:41.45
5	Seddon, Amos	England	2:29:57.53
6	Boeck, Helmut	Canada	2:31:20.90

MARATHON — MARATHON

A. Aug. 11/78 B. C.S. C. 35

PLACE	NAME/NOM	COUNTRY/PAYS	
1	Shahanga, Gidemas	Tanzania	2:15:39.76
2	Drayton, Jerome Peter	Canada	2:16:13.46
3	Bannon, Paul	Canada	2:16:51.61
4	Ryan, Kevin	New Zealand	2:17:15.25
5	Hannon, Gregory	Northern Ireland	2:17:24.95
6	Ballinger, Paul	New Zealand	2:17:45.92

SHOT PUT — LANCER DU POIDS

A. Aug. 12/78 B. C.S. C. 13 WR. 22.15 CR. 21.55 GR. 20.74

PLACE	NAME/NOM	COUNTRY/PAYS	
1	Capes, Geoffrey Lewis	England	19.77
2	Pauletto, Bruno	Canada	19.33
3	Dolegiewicz, Bishop	Canada	18.45
4	Mercer, Michael James	Canada	17.83
5	Winch, Michael Archer	England	16.93
6	Dale, Robert Anthony	England	16.89

DISCUS — DISQUE

A. Aug. 11/78 B. C.S. C. 11 WR. 70.86 CR. 65.40 GR. 63.08

PLACE	NAME/NOM	COUNTRY/PAYS	
1	Chambul, Borys Michael	Canada	59.70
2	Cooper, Bradley	Bahamas	57.30
3	Gray, Robert John Kelly	Canada	55.48
4	Tait, Robin Douglas	New Zealand	55.22
4	Martin, Wayne Ernest	Australia	54.98
6	Tancred, Peter Arthur	England	54.78

JAVELIN — JAVELOT

A. Aug.12/78 B. C.S. C. 13 WR. 94.58 CR. 87.76 GR. 84.92

PLACE	NAME/NOM	COUNTRY/PAYS	
1	Olsen, Phil Einar	Canada	84.00
2	O'Rourke, Mike	New Zealand	83.18
3	Yates, Peter Derek	England	78.58
4	Roberts, Brian Stanley	England	75.10
5	Ottley, David Charles	England	74.28
6	Laperriere, Luc	Canada	73.44

HAMMER — MARTEAU

A. Aug. 6/78 B. C.S. C. 10 WR. 80.14 CR. 74.98 GR. 69.56

PLACE	NAME/NOM	COUNTRY/PAYS	
1	Farmer, Peter John	Australia	71.10
2	Neilson, Robert Scott	Canada	69.92
3	Black, Christopher	Scotland	68.14
4	Dickenson, Derek Paul	England	66.42
5	Whitehead, James Robert	England	65.48
6	Chipchase, Ian Alan	England	64.80

LONG JUMP — SAUTEN LONGUEUR

A. Aug. 10/78 B. C.S. C. 20 WR. 8.90 CR. 8.23 GR. 8.06

PLACE	NAME/NOM	COUNTRY/PAYS	
1	Mitchell, Roy	England	8.06
2	Commons, Christopher John	Australia	8.04
3	Suresh, Babu	India	7.94
4	Trott, Dennis Harley	Bermuda	7.89
5	Rock, Richard Oliver	Canada	7.85
6	Mifetu, Emmanuel K.	Ghana	7.82

HIGH JUMP — SAUT EN HAUTEUR

A. Aug.10/78 B. C.S. C. 10 WR. 2.34 CR. 2.26 GR. 2.16

PLACE	NAME/NOM	COUNTRY/PAYS	
1	Ferragne, Claude	Canada	2.20
2	Joy, Greg Andrew	Canada	2.18
3	Burgess, Brian	Scotland	2.15
3	Bauck, Dean	Canada	2.15
5	Windeyer, Gordon	Australia	2.15
6	Naylor, Mark	England	2.10

TRIPLE JUMP — TRIPLE SAUT

A. Aug. 12/78 B. C.S. C. 21 WR. 17.89 CR. 17.02 GR. 16.72

PLACE	NAME/NOM	COUNTRY/PAYS	
1	Connor, Keith Leroy	England	17.21
2	Campbell, Ian Bernard	Australia	16.93
3	Moore, Aston Llewellyn	England	16.69
4	Lorraway, Kenneth John	Australia	16.27
5	Nipinak, Michael	Canada	16.24
6	Wood, Philip William	New Zealand	16.05

POLE VAULT — SAUT A LA PERCHE

A. Aug. 11/78 B. C.S. C. 9 WR. 5.70 CR. 5.53 GR. 5.10

PLACE	NAME/NOM	COUNTRY/PAYS	
1	Simpson, Bruce Albert	Canada	5.10
2	Baird, Donald George	Australia	5.10
3	Hooper, Brian Roger	England	5.00
4	Gutteridge, Jeffrey	England	5.00
5	Heer, Harold	Canada	4.80
6	Colivas, Glenn Wayne	Canada	4.80

4 x 100 METER RELAY — 4 x 100 METRES RELAI

A. Aug. 12/78 B. C.S. C. 11 WR. 38.03 CR. 38.39 GR. 39.31

PLACE	NAME/NOM	COUNTRY/PAYS	
1	Jenkins, David / Wells, Allan / Sharp, Cameron / McMaster, Andrew	Scotland	39.24
2	Noel, Edwin / Crawford, Hasely / Brathwaite, Christopher / Serrette, Ephraim	Trinidad-Tobago	39.29
3	Quarrie, Errol / Bradford, Colin / Heywood, Oliver Anthony / Brown, Floyd Lee	Jamaica	39.33
4	Williams, Desai Empson / Nash, Marvin / Fraser, Hugh Lloyd / Doty, Cole Robert	Canada	39.60
5	Obeng, Ernest / Lomotey, Albert / Enchill, George / Karikari, Ohene	Ghana	39.73
6	Green, Brian William / Bonsor, Timothy / Hoyte, Leslie Lennox / Hoyte, Trevor Simion	England	40.05

4 x 400 METER RELAY — 4 x 400 METRE RELAIS

A. Aug. 12/78 B. C.S. C. 11 WR. 2:56.20 CR. 2:59.60 GR. 3:02.80

PLACE	NAME/NOM	COUNTRY/PAYS	
1	Njiri, Washinton / Kimaiyo, Daniel / Koskei, William / Ngetich, Joel	Kenya	3:03.54
2	Bariffe, Clive / Cameron, Bertland / Bradford, Colin / Brown, Floyd Lee	Jamaica	3:04.00
3	Higham, John / Darvall, Chum / Brown, Garry Bernard / Mitchell, Richard Charles	Australia	3:04.23
4	Van Doorn, Frank / Bowen, Dacre / Saunders, Bryan / Bogue, Glenn Patrick	Canada	3:05.94
5	Paul, Michael / Solomon, Michael / Astor, Ray / Coombs, Joseph	Trinidad-Tobago	3:06.72
6	Jenkins, Roger / Hoffman, Peter R. W. / Forbes, Paul / Jenkins, David	Scotland	3:07.73

DECATHLON — DECATHLON

A. Aug.7, 8/78 B. C.S. C. 14 WR. 8618 CR. 8238 GR. 7492

PLACE	NAME/NOM	COUNTRY/PAYS	
1	Thompson, Francis Daley	England	8467
2	Hadfield, Peter Robert	Australia	7623
3	Drayton, Alan Walter	England	7484
4	Watson, Graeme Lynton	England	7261
5	Zeniou, Pan	Cyprus	7201
6	Town, Rob	Canada	7138

ATHLETICS — WOMEN / ATHLETISME — FEMME

100 METER HURDLES / 100 METRES HAIES

A. Aug. 11/78 **B.** C.S. **C.** 13 **WR.** 12.48 **CR.** 12.93 **GR.** 13.27

PLACE	NAME/NOM	COUNTRY/PAYS	
1	Boothe, Lorna Maria	England	12.98
2	Strong, Shirley Elaine	England	13.08
3	Colyear, Sharon	England	13.17
4	Davidson, Elaine	Scotland	13.76
5	Wooten, Gail Eileen	New Zealand	13.77
6	Lane, Sharon Marie	Canada	13.88

100 METERS / 100 METRES

A. Aug. 7/78 **B.** C.S. **C.** 38 **WR.** 10.88 **CR.** 11.14 **GR.** 11.21

PLACE	NAME/NOM	COUNTRY/PAYS	
1	Lannaman, Sonia May	England	11.27
2	Boyle, Raelene	Australia	11.35
2	Boyd, Denise	Australia	11.37
4	Afriyie, Hannah	Ghana	11.38
5	Goddard, Beverley Lanita	England	11.40
6	Loverock, Patty	Canada	11.40

200 METERS / 200 METRES

A. Aug. 10/78 **B.** C.S. **C.** 40 **WR.** 22.06 **CR.** 22.45 **GR.** 22.50

PLACE	NAME/NOM	COUNTRY/PAYS	
1	Boyd, Denise	Australia	22.82
2	Lannaman, Sonia May	England	22.89
3	Beazley, Colleen	Australia	22.93
4	Goddard, Beverley Lanita	England	22.95
5	Smallwood, Kathryn Jane	England	22.96
6	Golden, Helen	Scotland	23.28

400 METERS / 400 METRES

A. Aug. 7/78 **B.** C.S. **C.** 24 **WR.** 49.19 **CR.** 51.02 **GR.** 51.02

PLACE	NAME/NOM	COUNTRY/PAYS	
1	Hartley, Donna	England	51.69
2	Elder, Verona	England	52.94
3	Nail, Bethanie	Australia	53.06
4	Hoyte, Jocelyn	England	53.22
5	Griffith, Marcia	Guyana	53.25
6	Williams, Karen	Scotland	53.66

800 METERS / 800 METRES

A. Aug. 10/78 **B.** C.S. **C.** 24 **WR.** 1:54.90 **CR.** 1:59.00 **GR.** 2:01.00

PLACE	NAME/NOM	COUNTRY/PAYS	
1	Peckham, Judith	Australia	2:02.82
2	Chemabwai, Teckla	Kenya	2:02.87
3	Colebrook, Katrina Jane	England	2:03.10
4	Barnes, Elizabeth Ann	England	2:03.41
5	Gendron, Francine	Canada	2:04.02
6	McMeekin, Evelyn	Scotland	2:04.10

1500 METERS / 1500 METRES

A. Aug. 12/78 **B.** C.S. **C.** 23 **WR.** 3:56.00 **CR.** 4:04.80 **GR.** 4:07.90

PLACE	NAME/NOM	COUNTRY/PAYS	
1	Stewart, Mary	England	4:06.34
2	Benning, Christine	England	4:07.53
3	Werthner, Penny	Canada	4:08.14
4	McMeekin, Christine	Scotland	4:12.43
5	Hollick, Hilary Jane	Wales	4:12.72
6	Wright, Alison	New Zealand	4:12.93

3000 METERS / 3000 METRES

A. Aug. 7/78 **B.** C.S. **C.** 16 **WR.** 8:27.20 **CR.** 8:52 **GR.**

PLACE	NAME/NOM	COUNTRY/PAYS	
1	Fudge, Paula	England	9:12.95
2	Thomson, Heather Jean	New Zealand	9:20.69
3	Ford, Ann	England	9:24.05
4	Miller, Shauna Christine	Canada	9:30.75
5	Rooks, Nancy Ellen	Canada	9:34.14
6	Cook, Angela	Australia	9:43.56

SHOT PUT / LANCER DU POIDS

A. Aug. 8/78 **B.** C.S. **C.** 12 **WR.** 22.32 **CR.** 18.16 **GR.** 16.50

PLACE	NAME/NOM	COUNTRY/PAYS	
1	Mulhall, Gael	Australia	17.31
2	Ionesco, Carmen	Canada	16.45
3	Oakes, Judith Miriam	England	16.14
4	Littlewood, Angela Mary	England	15.71
5	Francis, Beverley May	Australia	15.66
6	Head, Venissa	Wales	15.52

DISCUS / DISQUE

A. Aug. 7/78 **B.** C.S. **C.** 10 **WR.** 70.50 **CR.** 62.34 **GR.** 55.52

PLACE	NAME/NOM	COUNTRY/PAYS	
1	Ionesco, Carmen	Canada	62.16
2	Mulhall, Gael	Australia	57.60
3	Moreau, Lucette	Canada	56.64
4	Ritchie, Margaret	Scotland	55.66
5	Thompson, Janet	England	53.70
6	Mallin, Lesley	England	50.56

JAVELIN / JAVELOT

A. Aug. 10/78 **B.** C.S. **C.** 13 **WR.** 69.32 **CR.** 67.20 **GR.** 57.40

PLACE	NAME/NOM	COUNTRY/PAYS	
1	Sanderson, Tessa	England	61.34
2	Hayward, Alison Vivian	Canada	54.52
3	Kern, Laurie	Canada	53.60
4	Nekesa, Eunice	Kenya	51.46
5	Phillpott, Margaret Joan	Australia	50.08
6	Whitbread, Fatima	England	49.16

LONG JUMP / SAUT EN LONGUEUR

A. Aug. 11/78 **B.** C.S. **C.** 12 **WR.** 6.99 **CR.** 6.76 **GR.** 6.73

PLACE	NAME/NOM	COUNTRY/PAYS	
1	Reeve, Susan Diane	England	6.59
2	Hooker, Erica	Australia	6.58
3	Griffith, Marcia	Guyana	6.52
4	Hearnshaw, Susan	England	6.40
5	Ferguson, Shonell	Bahamas	6.24
6	Yawson, Janet	Ghana	6.19

HIGH JUMP / SAUT EN HAUTEUR

A. Aug. 11/78 **B.** C.S. **C.** 9 **WR.** 2.01 **CR.** 1.91 **GR.** 1.84

PLACE	NAME/NOM	COUNTRY/PAYS	
1	Gibbs, Katrina Mavis	Australia	1.93
2	Brill, Debbie Arden	Canada	1.90
3	White, Julie	Canada	1.83
4	Hitchen, Gillian	England	1.80
5	Simmonds, Barbara Aileen	England	1.78
6	Woods, Maggie Ann	Canada	1.78

4 x 100 METER RELAY / 4 x 100 METRES RELAI

A. Aug. 12/78 **B.** C.S. **C.** 8 **WR.** 42.50 **CR.** 43.17 **GR.** 43.51

PLACE	NAME/NOM	COUNTRY/PAYS	
1	Goddard, Beverley Lanita	England	
	Smallwood, Kathryn Jane		
	Colyear, Sharon		
	Lannaman, Sonia May		43.70
2	Bailey, Angela Corol	Canada	
	Loverock, Patty		
	Howe, Margaret Jane		
	Bailey, Marjorie		44.26
3	Gelle, Roxanne Margaret	Australia	
	Boyd, Denise		
	Beazley, Colleen		
	Jacenko, Lynette		44.78
4	Brown, Wendy Lee	New Zealand	
	Hunt, Penny		
	Wooten, Gail Eileen		
	Robertson, Kim A.		45.06
5	Murray, Normalee	Jamaica	
	Scott, Dorothy		
	Gottshalk, Maureen June		
	Drummond, Carmeta		45.75
6	Bradley, Marilyn	Trinidad-Tobago	
	Gardner, Joanne		
	Bernard, Janice		
	Hope, Ester		45.80

4 x 400 METER RELAY / 4 x 400 METRES RELAI

A. Aug. 12/78 **B.** C.S. **C.** 7 **WR.** 3:19.20 **CR.** 3:25.60 **GR.** 3:29.20

PLACE	NAME/NOM	COUNTRY/PAYS	
1	Kennedy, Ruth	England	
	Hoyte, Jocelyn		
	Elder, Verona		
	Hartley, Donna		3:27.19
2	Peckham, Judith	Australia	
	Boyd, Denise		
	Corcoran, Maxine		
	Nail, Bethanie		3:28.65
3	Stride, Margaret	Canada	
	Campbell, Debbie		
	Mackie-Morelli, Anne		
	Campbell, Rachelle		3:35.83
4	Harley, Ann	Scotland	
	McMeekin, Evelyn		
	Golden, Helen		
	Williams, Karen		3:36.52
5	Opoku, Helena	Ghana	
	Bakari, Grace		
	Aidoo, Georgina		
	Afriyie, Hannah		3:37.12
6	Byfield-White, Debbie	Jamaica	
	Gottshalk, Maureen June		
	Murray, Normalee		
	Blake, Helen		3:37.94

PENTATHLON / PENTATHLON

A. Aug. 6/78 **B.** C.S. **C.** 11 WR. 4839 CR. 4639 GR. 4524

PLACE	NAME/NOM	COUNTRY/PAYS	
1	Jones Konihowski, Diane	Canada	4768
2	Mapstone, Susan	England	4222
3	Wray, Yvette Julie	England	4211
4	Ross, Jill	Canada	4205
5	Page, Karen	New Zealand	4099
6	Howell, Ruth	Wales	4022

BADMINTON TEAM EVENT / BADMINTON EPREUVES EQUIPE

A. Aug. 6/78 **B.** U. A. **C.** 11

PLACE	NAME/NOM	COUNTRY/PAYS
1	Talbot, Derek	England
	Stevens, Raymond	
	Jolly, Kevin	
	Eddy, John	
	Tredgett, Michael	
	Webster, Jane	
	Perry, Nora	
	Bridge, Karen	
	Statt, Anne	
2	McKee, Jamie	Canada
	Czich, John	
	Priestman, Ken	
	Carter, W. Gregory	
	Clarkson, Wendy	
	Youngberg, Jane	
	Falardeau, Johanne	
	Crawford, Sharon	
	Backhouse, Claire	
3	Saw, Swee Leong	Malaysia
	Sufian, Abu Bakar	
	Moo, Foot Lian	
	Selvaraj, J.	
	Ong, T. B.	
	Ng, Sylvia Meow Eng	
	Teh, Katherine Swee	
	Chee, Geok Whee	
4	Purser, Bryan	New Zealand
	Purser, Richard	
	Livingston, Ross	
	Wilson, Steven	
	Livingston, Patricia	
	Branfield, Alison	
	Sinton, Allison	

MEN'S SINGLES / SIMPLES HOMMES

A. Aug. 11/78 **B.** U. A. **C.** 48

PLACE	NAME/NOM	COUNTRY/PAYS
1	Prakash, Padukone	India
2	Talbot, Derek	England
3	Stevens, Raymond Philip	England
4	Saw, Swee Leong	Malaysia

LADIES SINGLES / SIMPLES FEMMES

A. Aug. 11/78 **B.** U. A. **C.** 35

PLACE	NAME/NOM	COUNTRY/PAYS
1	Ng, Sylvia Meow Eng	Malaysia
2	Teh, Katherine Swee Phek	Malaysia
3	Clarkson, Wendy May	Canada
4	Webster, Jane Anne	England

MEN'S DOUBLES / DOUBLES HOMMES

A. Aug. 11/78 **B.** U. A. **C.** 22

PLACE	NAME/NOM	COUNTRY/PAYS
1	Stevens, Raymond	England
	Tredgett, Michael	England
2	Moo, Foot Lian	Malaysia
	Ong, T. B.	Malaysia
3	Purser, Richard	New Zealand
	Purser, Bryan	New Zealand
4	Talbot, Derek	England
	Jolly, Kevin	England

LADIES DOUBLES / DOUBLES FEMMES

A. Aug. 11/78 **B.** U. A. **C.** 15

PLACE	NAME/NOM	COUNTRY/PAYS
1	Perry, Nora	England
	Statt, Anne	England
2	Youngberg, Jane	Canada
	Backhouse, Claire	Canada
3	Ghia, Ami	India
	Singh, Kanwal	India
4	Sutton, Barbara	England
	Webster, Jane	England

MIXED DOUBLES / MIXTES DOUBLES

A. Aug. 11/78 **B.** U. A. **C.** 34

PLACE	NAME/NOM	COUNTRY/PAYS
1	Tredgett, Michael Graham	England
	Perry, Nora Christine	England
2	Gilliland, Billy Allan	Scotland
	Flockhart, Joanna Doreen	Scotland
3	Talbot, Derek	England
	Sutton, Barbara	England
4	Purser, Richard Howard	New Zealand
	Branfield, Alison Jean	New Zealand

BOWLS / QUILLES SUR PELOUSE

SINGLES / SIMPLES

A. Aug. 11/78 **B.** C. P. **C.** 16

PLACE	NAME/NOM	COUNTRY/PAYS	GAMES	TOTAL WON	TOTAL DRAW	LOST
1	Bryant, David John	England	15	13	0	2
2	Snell, Sydney John	Australia	15	11	0	4
3	Evans, John Russell	Wales	15	11	0	4
4	Clark, Peter Kerry	New Zealand	15	10	0	5
5	McGill, David	Scotland	15	10	0	5
6	Souza, George Angelo	Hong Kong	15	9	0	6
			JOUES	GAGNES	MATCH NUL	PERDUS

PAIRS / PAIRES

A. Aug. 11/78 **B.** C. P. **C.** 14

PLACE	NAME/NOM	COUNTRY/PAYS	GAMES	TOTAL WON	TOTAL DRAW	LOST
1	Liddell, Eric	Hong Kong	13	10	0	3
	Delgado, Clementi					
2	McIntosh, Alexander	Scotland	13	9	0	4
	Wood, William					
3	Morgan, James	Wales	13	9	0	4
	Williams, Raymond					
4	Panozzo, Bruno	Australia	13	9	0	4
	Oakley, Geoffrey					
5	Jarvis, Graham	Canada	13	9	0	4
	Jones, Ronald					
6	McDonald, Robert	New Zealand	13	8	1	4
	Kostanich, Ivan					
			JOUES	GAGNES	MATCH NUL	PERDUS

FOURS / QUADRETTES

A. Aug. 11/78 **B.** C. P. **C.** 15

PLACE	NAME/NOM	COUNTRY/PAYS	GAMES	TOTAL WON	TOTAL DRAW	LOST
1	Chok, Kin Fun Philip	Hong Kong	14	12	0	2
	Dasilva, Roberto E.					
	Hassen Jr., Majid					
	Dallah, Omar Kachong					
2	Malcolm, John	New Zealand	14	11	1	2
	Moffat, David					
	Baldwin, David					
	Skoglund, Philip					
3	Stanbury, Ellis	Wales	14	9	2	3
	Sutherland, Ian					
	Thomson, John					
	Evans, Gwyn					
4	Dunlop, Michael	Northern Ireland	14	9	1	4
	Watson, William					
	Donnelly, James					
	Murray, William					
5	Bernard, Richard	Scotland	14	8	2	4
	Fleming, John					
	Copland, Douglas					
	Adrain, William					
6	Robertson, Robert	England	14	8	1	5
	Irish, William					
	Burch, Charles					
	Hughes, Malcolm					
			JOUES	GAGNES	MATCH NUL	PERDUS

BOXING / BOXE

48 KG. / 48 KG.

A. Aug. 11/78 **B.** E. G. **C.** 15

PLACE	NAME/NOM	COUNTRY/PAYS
1	Muchoki, Stephen	Kenya
2	Musankabala, Francis	Zambia
3	Sumalia, Kid	Ghana
3	Thapa, Birender	India

51 KG   51 KG

A. Aug. 11   **B.** E.G.   **C.** 12

PLACE	NAME/NOM	COUNTRY/PAYS
1	Irungu, Michael	Kenya
2	Clyde, Ian	Canada
3	Wighton, Peter	Australia
4	Russell, Hugh	Northern Ireland

54 KG.   54 KG.

A. Aug. 11/78 **B.** E. G.   **C.** 13

PLACE	NAME/NOM	COUNTRY/PAYS
1	McGuigan, Finbar	Northern Ireland
2	Sogolik, Tumat	Papua/New Guinea
3	Maina, Douglas	Kenya
3	Rannelli, William	Canada

57 KG.   57 KG.

A. Aug. 11/78 **B.** E. G.   **C.** 13

PLACE	NAME/NOM	COUNTRY/PAYS
1	Nelson, Azuma	Ghana
2	Sichula, John	Zambia
3	Boutin, Guy	Canada
3	O'Brien, Maurice	England

60 KG.   60 KG.

A. Aug. 11/78 **B.** E. G.   **C.** 14

PLACE	NAME/NOM	COUNTRY/PAYS
1	Hamil, Gerard	Northern Ireland
2	Waweru, Patrick	Kenya
3	McAllister, John	Scotland
3	Makofi, Teddy	Zambia

63 KG.   63 KG.

A. Aug. 11/78 **B.** E. G.   **C.** 14

PLACE	NAME/NOM	COUNTRY/PAYS
1	Braithwaite, Winfield	Guyana
2	Douglas, James	Scotland
3	Raftery, John	Canada
3	Mawangi, Michial	Kenya

67 KG.   67 KG.

A. Aug. 11/78 **B.** E. G.   **C.** 17

PLACE	NAME/NOM	COUNTRY/PAYS
1	McCallum, Micheal	Jamaica
2	Beattie, Kenneth	Northern Ireland
3	Freal, Anthony	Wales
3	Hoyt, Derrick	Canada

71 KG.   71 KG.

A. Aug. 11/78 **B.** E. G.   **C.** 13

PLACE	NAME/NOM	COUNTRY/PAYS
1	Perlette, Kelly	Canada
2	Athuman, Abdulahman	Kenya
3	Samu, Ropati	Western Samoa
3	Chama, Enock	Zambia

75 KG.   75 KG.

A. Aug. 11/78 **B.** E. G.   **C.** 9

PLACE	NAME/NOM	COUNTRY/PAYS
1	McElwaine, Philip	Australia
2	Parkes, Delroy	England
3	MacDonald, Roddy	Canada
3	Betham, Richard	Western Samoa

81 KG.   81 KG.

A. Aug. 11/78 **B.** E. G.   **C.** 6

PLACE	NAME/NOM	COUNTRY/PAYS
1	Fortin, Roger	Canada
2	Smith, Ronald	England
3	Thande, Edward	Kenya
3	Su'A, Faitala	Western Samoa

+81 KG.   +81 KG.

A. Aug. 11/78 **B.** E. G.   **C.** 6

PLACE	NAME/NOM	COUNTRY/PAYS
1	Awome, Julius	England
2	Mensah, Adamah	Ghana
3	Stankovich, George	New Zealand

CYCLING   CYCLISME

TIME TRIAL   CONTRE LA MONTRE

A. Aug. 4/78 **B.** A. V.   **C.** 37   **GR.** 1:08.69

PLACE	NAME/NOM	COUNTRY/PAYS	
1	Lovell, Jocelyn Bjorn	Canada	1:06.00
2	Tucker, Kenrick Gregory	Australia	1:06.96
3	Singleton, Gordon	Canada	1:07.56
4	Fitzgerald, Colin John	Australia	1:07.75
5	Gadd, Trevor John	England	1:08.10
6	Goodall, Stephen James	Australia	1:08.66

SPRINT   VITESSE

A. Aug. 7/78 **B.** A. V.   **C.** 18

PLACE	NAME/NOM	COUNTRY/PAYS
1	Tucker, Kenrick Gregory	Australia
2	Gadd, Trevor John	England
3	Weller, David	Jamaica
4	Singleton, Gordon	Canada

INDIVIDUAL PURSUIT   POURSUITE

A. Aug. 7/78 **B.** A. V.   **C.** 28   **GR.** 4:56.60

PLACE	NAME/NOM	COUNTRY/PAYS	
1	Richards, Michael Basil	New Zealand	4:49.74
2	Campbell, Gary Brian	Australia	4:55.68
3	Doyle, Anthony Paul	England	4:55.87
4	Hayman, Ronald Leslie	Canada	4:56.85

TEAM PURSUIT   POURSUIT L'EQUIPES

A. Aug. 10/78 **B.** A. V.   **C.** 7   **GR.** 4:40.50

PLACE	NAME/NOM	COUNTRY/PAYS	
1	Fitzgerald, Colin John	Australia	
	Nichols, Kevin John		
	Sutton, Gary John		
	Sutton, Shane Edwin		4:29.43
2	Blackwell, Kevin Edward	New Zealand	
	Cuff, Anthony James		
	Lyster, Neil Robert		
	Swart, Jacobus Johannes		4:37.73
3	Doyle, Anthony Paul	England	
	Fennell, Paul		
	James, Anthony Alan		
	Mitchell, Glen Ronald		4:51.18
4	Bauer, Steven Todd	Canada	
	Garneau, Louis		
	Kemerer, Ward Robert		
	Sudermann, Peter Douglas		4:58.99

TANDEM SPRINT   COURSE TANDEM

A. Aug. 10/78 **B.** A. V.   **C.** 4

PLACE	NAME/NOM	COUNTRY/PAYS
1	Lovell, Jocelyn Bjorn	Canada
	Singleton, Gordon	
2	Gadd, Trevor John	England
	Le Grys, David	
3	Boyle, Ron	Australia
	Goodall, Stephen James	
4	MacKenzie, Eric Stuart	New Zealand
	Fabish, Charles Michael	

10 MILES   10 MILLE

A. Aug. 10/78 **B.** A. V.   **C.** 27   **GR.** 20:46.72

PLACE	NAME/NOM	COUNTRY/PAYS	
1	Lovell, Jocelyn Bjorn	Canada	20:05.81
2	Sutton, Shane Edwin	Australia	20:06.00
3	Sutton, Gary John	Australia	20:06.10
4	Doyle, Anthony Paul	England	20:06.20
5	Mitchell, Glen Ronald	England	20:06.32
6	Cuff, Anthony James	New Zealand	20:06.45

ROAD RACE / EPREUVE SUR ROUTE

A. Aug. 12/78 **B.** G. R. **C.** 52

PLACE	NAME/NOM	COUNTRY/PAYS	
1	Anderson, Philip Grant	Australia	4:22:34.41
2	Harvey, Pierre	Canada	4:22:34.55
3	Bell, Garry David	New Zealand	4:22:35.06
4	Purvis, Raymond John	Isle of Man	4:23:27.43
5	Lawrence, Steven	England	4:23:28.31
6	Cramaro, Martin	Canada	4:23:29.48

GYMNASTICS / GYMNASTIQUE

WOMENS TEAM / EQUIPE FEMMES

A. Aug. 6/78 **B.** E. C. **C.** 6

PLACE	NAME/NOM	Horse Vault	Uneven Bars	Bal. Beam	Floor Exer.	Total
1	Canada					
	Kelsall, Karen Barbara	9.50	9.65	9.25	8.90	37.300
	Schlegel, Elfi	9.05	9.60	9.65	9.25	37.550
	Goermann, Monica	9.35	9.50	9.55	9.45	37.850
	Hawco, Sherry Louise	9.20	9.10	9.00	9.30	36.600
	Total:	28.050	28.750	28.450	28.000	113.250
2	England					
	Jackman, Lisa Mary	9.60	8.95	7.85	8.85	35.250
	Robb, Karen	9.40	8.85	8.55	9.10	35.900
	Sime, Joanna Sarah	9.25	8.45	7.90	8.95	34.550
	Cheesebrough, Susan	9.15	9.05	8.90	8.90	36.000
	Total:	28.250	26.850	25.350	26.950	107.400
3	New Zealand					
	Davis, Rowena Suzanne	9.05	8.90	8.65	8.85	35.450
	Durward, Kirsty E.	9.20	8.80	8.45	8.65	35.100
	Brake, Lynette June	8.60	8.60	8.65	8.75	34.600
	Hurst, Deborah Linda	8.75	9.10	8.65	9.00	35.500
	Total:	27.000	26.800	25.950	26.600	106.350
4	Australia					
	Edelsten, Karen Susan	8.25	8.90	8.55	8.50	34.200
	Sulicich, Marina	9.00	9.10	8.95	9.00	36.050
	McMaster, Kim Janene	6.70	7.80	8.10	8.15	30.750
	Jack, Margaret Louise	8.60	8.35	6.30	7.20	30.450
	Total:	25.850	26.350	25.600	25.650	103.450
5	Wales					
	Suringer, Linda Dawn	8.45	8.80	7.60	8.40	33.250
	Vokes, Jacqueline Sian	8.20	8.25	7.35	8.40	32.200
	Pocock, Tina	9.00	7.60	8.05	8.55	33.200
	Bernard, Linda	9.10	8.60	8.00	8.30	34.000
	Total:	26.550	25.650	23.650	25.350	101.200
6	Scotland					
	Walker, Julie Anderson	8.30	7.90	6.85	8.05	31.100
	Ramsay, Eileen	8.55	7.90	8.30	8.45	33.200
	Macaulay, Catriona	8.70	8.35	8.25	7.85	33.150
	Forbes, Karen	8.60	8.45	8.45	8.20	34.000
	Total:	25.850	24.700	24.750	25.250	100.550
		Saut de Ch.	Barres Asy.	Poutre	Ex. au Sol	

MENS TEAM / EQUIPE HOMMES

A. Aug. 7/78 **B.** E. C. **C.** 6

PLACE	NAME/NOM	Floor Exer.	Pomm. Horse	Still Rings	Horse Vault	Par. Bars	Hor. Bars	Total
1	Canada							
	Rothwell, Nigel	9.10	8.55	9.60	9.25	8.90	9.15	53.95
	Walstrom, Owen Carl	8.60	8.00	9.20	8.40	8.90	8.90	52.00
	Choquette, Jean	8.80	8.60	8.70	9.35	9.15	9.00	53.60
	Delesalle, Philip L.	9.45	9.70	9.55	9.30	9.80	9.70	57.50
	Total:	27.35	26.85	27.75	27.90	27.85	27.85	165.55
2	England							
	Davis, Jeffrey Peter	9.55	8.20	8.90	9.40	8.85	9.15	54.05
	Arnold, Randal Edward	8.75	8.10	8.90	9.20	8.55	8.80	52.30
	Wilson, Thomas Arthur	8.65	8.25	9.00	8.55	8.40	9.00	51.85
	Neale, Ian Geoffrey	9.45	8.75	9.20	9.40	9.05	9.30	55.15
	Total:	27.75	25.20	27.10	28.00	26.45	27.45	161.95
3	Australia							
	Forbes, Warwick Ian	8.40	7.95	9.20	8.70	8.80	8.85	51.90
	Starosta, Rudolf F.	8.40	7.90	7.55	8.55	7.95	7.95	48.30
	Ariens, Lambert C.	8.85	8.45	7.25	9.50	8.90	8.75	51.70
	Nylund, Lindsay	9.00	8.70	9.40	9.15	9.10	9.25	54.60
	Total:	26.25	25.10	26.15	27.35	26.80	26.85	158.50
4	New Zealand							
	Wilkins, Hugh Richard	7.65	8.30	8.55	8.15	7.55	7.65	47.85
	Davies, Neil Christopher	8.25	8.25	8.60	9.15	8.35	8.80	51.40
	Sale, Terence John	8.95	8.35	8.85	9.35	8.60	8.80	52.90
	Robertson, Gregory McBey	7.50	8.00	6.95	9.05	8.50	7.65	47.65
	Total:	24.85	24.90	26.00	27.55	25.45	25.25	154.00
5	Wales							
	Hallam, Andrew Julian	5.90	6.25	5.20	8.35	1.50	6.60	33.80
	Preedy, Paul	7.10	6.90	5.85	8.70	7.30	7.90	43.75
	Jones, Leigh	7.85	7.80	8.50	8.80	7.70	8.45	49.10
	Higgins, Michael Joseph	8.90	5.25	7.10	9.30	7.15	5.70	43.40
	Total:	23.85	20.95	21.45	26.80	22.15	22.95	138.15
6	India							
	Nandi, Bishwe Shwar	7.50	7.20	6.10	8.00	7.30	7.35	43.45
	Bhosle, Nandkumar B.	7.10	5.50	6.30	8.35	6.80	7.45	41.50
	Singh, Manjit	4.40	6.20	6.20	7.95	7.30	6.90	38.95
	Kanji, Nemai	7.40	5.00	6.85		6.85	6.15	32.25
	Total:	22.00	18.90	19.35	24.30	21.45	21.70	127.70
		Ex. au Sol	Ch -arçons	Ringe	Saut de Ch.	Barres Par.	Barres Fixe	

WOMENS INDIVIDUAL / INDIVIDUELLES FEMMES

A. Aug. 8/78 **B.** E. C. **C.** 19

PLACE	NAME/NOM	Horse Vault	Uneven Bars	Bal. Beam	Floor Exer.	Total
1	Schlegel, Elfi	9.70	9.75	9.20	9.60	38.250
	Canada					
2	Hawco, Sherry Louise	9.50	9.50	9.40	9.25	37.650
	Canada					
2	Goermann, Monica	9.50	9.15	9.55	9.45	37.650
	Canada					
4	Kelsall, Karen Barbara	9.45	9.70	9.50	8.90	37.550
	Canada					
5	Cheesebrough, Susan	9.10	8.90	9.00	9.00	36.000
	England					
5	Robb, Karen	9.50	9.00	8.60	8.90	36.000
	England					
5	Sulicich, Marina	9.10	9.05	9.00	8.85	36.000
	Australia					
		Saut de Ch.	Barres Asy.	Poutre	Ex. au Sol	

MENS INDIVIDUAL / INDIVIDUELS HOMMES

A. Aug. 9/78 **B.** E. C. **C.** 19

PLACE	NAME/NOM	Floor Exer.	Pomm. Horse	Still Rings	Horse Vault	Par. Bars	Hor. Bars	Total
1	Delesalle, Philip L.	9.60	8.75	9.50	9.40	9.40	9.75	56.40
	Canada							
2	Nylund, Lindsay	9.10	9.00	9.00	9.25	9.20	9.40	54.95
	Australia							
3	Choquette, Jean	9.10	8.65	9.00	9.50	8.65	9.35	54.25
	Canada							
4	Walstrom, Owen Carl	9.05	8.60	9.20	8.80	9.05	9.20	53.90
	Canada							
5	Wilson, Thomas Arthur	9.00	8.60	9.05	8.80	9.00	9.25	53.70
	England							
6	Sale, Terence John	9.00	8.60	8.90	9.20	8.90	8.85	53.45
	New Zealand							
		Ex. au Sol	Ch -arçons	Ringe	Saut de Ch.	Barres Par.	Barres Fixe	

SHOOTING / TIR

SKEET / SKEET

A. Aug. 9/78 **B.** S. R. **C.** 20 GR. 196

PLACE	NAME/NOM	COUNTRY/PAYS	1	2	3	4	TOT.
1	Woolley, Lawrence John	New Zealand	24	24	24	24	96
2	Bentley, Paul Anthony	England	25	24	21	23	93
3	Neville, Joseph Martin	England	25	25	23	24	97
4	Kwasnycia, J. (Don)	Canada	24	24	23	22	93
5	Altmann, Fred	Canada	25	25	23	21	94
6	Hale, Ian Maxwell	Australia	23	22	24	22	91

TRAP / FOSSE

A. Aug. 6/78 **B.** S. R. **C.** 19 GR. 196

PLACE	NAME/NOM	COUNTRY/PAYS	1	2	3	4	TOT.
1	Primrose, John	Canada	24	21	25	22	92
2	Leary, George Howard	Canada	22	22	22	22	88
3	Rumble, Terry	Australia	23	23	21	23	90
4	Ellis, Eli James (Jim)	Australia	22	22	21	24	89
5	Lassen, Aubrey Bruce	New Zealand	21	19	23	23	86
6	Smith, Anthony John	England	24	20	22	19	85

FREE PISTOL / PISTOLET LIBRE

A. Aug. 5/78 **B.** S. R. **C.** 22 GR. 549

PLACE	NAME/NOM	COUNTRY/PAYS	1	2	3	4	5	6	TOT.
1	Trempe, Yvon	Canada	89	89	93	95	87	90	543
2	Jans, Edward A.	Canada	89	91	92	87	92	89	540
3	Manhim, Bertram	Trinidad	91	87	89	88	90	91	536
4	Remon, Denis Ernest	Jersey	86	89	87	94	91	89	536
5	Jackson, Andrew Carlisle	England	88	89	84	92	93	89	535
6	Harrison, Norman Edward	Australia	91	88	91	88	88	89	535

RAPID FIRE PISTOL / TIR RAPIDE

A. Aug. 8/78 **B.** S. R. **C.** 20 GR. 586

PLACE	NAME/NOM	COUNTRY/PAYS	8	8	6	6	4	4	TOT.
1	Sobrian, Jules	Canada	49	50	49	50	47	47	292
2	Cooke, John Patrick	England	48	48	49	50	47	48	290
3	Farrell, Jeffery Kent	Australia	50	49	49	46	46	49	289
4	Girling, Brian Edward	England	49	50	47	49	48	38	281
5	Faunt, Stephen John	Australia	47	50	48	49	45	47	286
6	Chauhan, Sharad	India	50	49	48	48	46	45	286

SMALL BORE RIFLE		PETIT CALIBRE							
A. Aug. 7/78 B. S. R.		C. 33						GR. 594	
PLACE NAME/NOM	COUNTRY/PAYS	1	2	3	4	5	6	TOT.	
1 Allan, Alister	Scotland	99	100	100	100	100	99	598	
2 Watkins, William (Bill)	Wales	98	100	100	99	99	99	595	
3 Watterson, Stewart W.	Isle of Man	98	100	99	97	99	98	591	
4 Dagger, Barry Edward	England	97	100	100	100	100	99	596	
5 Harris, Colin Thomas	Wales	98	100	99	99	100	100	596	
6 Sorensen, Arne	Canada	98	99	98	98	99	100	592	

FULL BORE RIFLE		GROS CALIBRE				
A. Aug. 10/78 B. P. R.		C. 39				GR. 394
PLACE NAME/NOM	COUNTRY/PAYS	900	1000	TOT.	AGG.	
1 Vamplew, Desmond G	Canada	67	73	140	391	
2 Spaight, James Seymour	England	72	69	141	388	
3 Vamplew, Patrick	Canada	67	68	135	387	
4 Calvert, David Peter	Northern Ireland	73	68	141	387	
5 Gilson, Sam	England	72	66	138	386	
6 Gordon, Maurice George	New Zealand	74	67	141	384	

SWIMMING — MEN / NATATION — HOMMES

100 METER FREESTYLE		100 METRES NAGE LIBRE		
A. Aug. 6/78 B. K. A. C.	C. 28	WR. 49.44	CR. 51.78	GR. 52.46
PLACE NAME/NOM	COUNTRY/PAYS			
1 Morgan, Mark Lincoln	Australia			52.70
2 Sawchuk, Bill Matthew	Canada			52.81
3 MacDonald, Gary Wayne	Canada			52.90
4 Brewer, Graeme	Australia			52.95
5 Szmidt, Peter Charles	Canada			53.13
6 Patching, Glenn Scott	Australia			53.63

200 METER FREESTYLE		200 METRES NAGE LIBRE		
A. B. K. A. C.	C. 19	WR. 1:50.29	CR. 1:52.47	GR. 1:52.51
PLACE NAME/NOM	COUNTRY/PAYS			
1 McKeon, Ronald John	Australia			1:52.06
2 Brewer, Graeme	Australia			1:52.86
3 Morgan, Mark Lincoln	Australia			1:53.16
4 Downie, Gordon Hunter	Scotland			1:54.44
5 Dunne, David Michael	England			1:54.58
6 Szmidt, Peter Charles	Canada			1:55.41

400 METER FREESTYLE		400 METRES NAGE LIBRE		
A. Aug. 7/78 B. K. A. C.	C. 13	WR. 3:51.56	CR. 3:54.59	GR. 3.58.09
PLACE NAME/NOM	COUNTRY/PAYS			
1 McKeon, Ronald John	Australia			3:54.43
2 Gray, Simon Francis	England			3:56.87
3 Metzker, Maxwell Raymond	Australia			3:58.83
4 Szmidt, Peter Charles	Canada			3:38.86
5 Astbury, Andrew	England			4:01.12
6 Naylor, Brett	New Zealand			4:03.59

1500 METER FREESTYLE		1500 METRES NAGE LIBRE		
A. Aug. 9/78 B. K. A. C.	C. 10	WR. 15:02.40	CR. 15:04.66	GR. 15:34.73
PLACE NAME/NOM	COUNTRY/PAYS			
1 Metzker, Maxwell Raymond	Australia			15:31.92
2 Gray, Simon Francis	England			15:39.39
3 Astbury, Andrew	England			15:42.89
4 Nash, Paul Stuart	Australia			15:44.42
5 Szmidt, Peter Charles	Canada			15:57.18
6 Baylis, Robert David	Canada			16:14.88

100 METER BACKSTROKE		100 METRES DOS		
A. Aug. 9/78 B. K. A. C.	C. 18	WR. 55.49	CR. 57.36	GR. 58.86
PLACE NAME/NOM	COUNTRY/PAYS			
1 Patching, Glenn Scott	Australia			57.90
2 Abraham, Gary	England			58.48
3 Tapp, Jay Grenville	Canada			59.05
4 Flemons, Wade	Canada			59.56
5 Marshall, Paul Julian	Scotland			59.57
6 Carter, James Hill	Scotland			59.79

200 METER BACKSTROKE		200 METRES DOS		
A. Aug. 6/78 B. K. A. C.	C. 16	WR. 1:59.19	CR. 2:03.17	GR. 2:06.19
PLACE NAME/NOM	COUNTRY/PAYS			
1 Hurring, Gary Norman	New Zealand			2:04.37
2 Patching, Glenn Scott	Australia			2:05.76
3 Moorfoot, Paul John	Australia			2:05.99
4 Henning, Cameron	Canada			2:06.35
5 Scarth, Michael	Canada			2:07.13
6 Carter, James Hill	Scotland			2:07.91

100 METER BREASTSTROKE		100 METRES BRASSE		
A. Aug. 9/78 B. K. A. C.	C. 16	WR. 1:02.86	CR. 1:03.43	GR. 1:04.86
PLACE NAME/NOM	COUNTRY/PAYS			
1 Smith, Graham	Canada			1:03.81
2 Goodhew, Duncan Alexander	England			1:04.24
3 Naisby, Paul Charles	England			1:06.36
4 Kent, Bruce	Canada			1:06.96
5 Spencer, Lindsay Philip	Australia			1:07.00
6 Atkinson, Leigh	Wales			1:07.70

200 METER BREASTSTROKE		200 METRES BRASSE		
A. Aug. 7/78 B. K. A. C.	C. 12	WR. 2:15.11	CR. 2:15.11	GR. 2:23.58
PLACE NAME/NOM	COUNTRY/PAYS			
1 Smith, Graham	Canada			2:20.86
2 Goodhew, Duncan Alexander	England			2:21.92
3 Spencer, Lindsay Philip	Australia			2:22.49
4 Foley, Michael Joseph	Australia			2:24.76
5 Wurzback, Gregory Luke	Canada			2:25.31
6 Kent, Bruce	Canada			2:25.38

100 METER BUTTERFLY		100 METRES PAPILLON		
A. Aug. 8/78 B. K. A. C.	C. 12	WR. 54.18	CR. 55.47	GR. 55.77
PLACE NAME/NOM	COUNTRY/PAYS			
1 Thompson, Dan David	Canada			55.04
2 Mills, John Maurice	England			56.22
3 Sawchuk, Bill Matthew	Canada			56.37
4 Rowe, Paul Colin	New Zealand			56.61
5 Hubble, Philip	England			56.78
6 Nagy, George Michael	Canada			57.13

200 METER BUTTERFLY		200 METRES PAPILLON		
A. Aug. 6/78 B. K. A. C.	C. 12	WR. 1:59.23	CR. 2:01.49	GR. 2:02.38
PLACE NAME/NOM	COUNTRY/PAYS			
1 Nagy, George Michael	Canada			2:01.99
2 Bredschneider, Claus	Canada			2:02.49
3 Hubble, Philip	England			2:02.53
4 Gray, Simon Francis	England			2:03.48
5 Nagy, Richard Robert	Canada			2:04.57
6 Cracknell, Trevor George	Australia			2:05.01

200 METER MEDLEY		200 METRES QUATRE NAGES		
A. Aug. 7/78 B. K. A. C.	C. 12	WR. 2:05.24	CR. 2:05.31	GR. 2:06.11
PLACE NAME/NOM	COUNTRY/PAYS			
1 Smith, Graham	Canada			2:05.25
2 Sawchuk, Bill Matthew	Canada			2:05.61
3 Dawson, Peter Bruce W.	Australia			2:09.05
4 Erickson, Christopher	Canada			2:10.64
5 Cleworth, Duncan	England			2:10.68
6 Phillips, Andrew M.	Jamaica			2:15.55

400 METER MEDLEY		400 METRES QUATRE NAGES		
A. Aug. 5/78 B. K. A. C.	C. 10	WR. 4:23.68	CR. 4:28.64	GR. 4:30.25
PLACE NAME/NOM	COUNTRY/PAYS			
1 Smith, Graham	Canada			4:27.34
2 Gray, Simon Francis	England			4:27.70
3 Sawchuk, Bill Matthew	Canada			4:27.99
4 Nagy, George Michael	Canada			4:34.65
5 Dawson, Peter Bruce W.	Australia			4:35.25
6 McClatchey, Alan	Scotland			4:36.47

4 x 100 FREESTYLE		4 x 100 NAGE LIBRE		
A. Aug. 4/78 B. K. A. C.	C. 7	WR. 3:21.11	CR. 3:28.36	GR. 3:33.79
PLACE NAME/NOM	COUNTRY/PAYS			
1 Sawchuk, Bill Matthew / Smith, Graham / MacDonald, Gary Wayne / Szmidt, Peter Charles	Canada			3:27.94
2 Morgan, Mark Lincoln / McKeon, Ronald John / Brewer, Graeme / Patching, Glenn Scott	Australia			3:28.62
3 Smith, Martin Trevor / Burns, Kevin Robert / Dunne, David Michael / Burrell, Richard James	England			3:30.10
4 Iredale, Richard Norman / McClatchey, Alan / Dawson, Robert / Downie, Gordon Hunter	Scotland			3:34.23
5 Salisbury, Barry Ray / Naylor, Brett / Bullock, Ian R. / Rowe, Paul Colin	New Zealand			3:35.53
6 Taylor, Mark Graham / Thomas, Martin Morgan / Roberts, Michael / Sadler, Graham	Wales			3:42.17

4 x 200 METER FREESTYLE — 4 x 200 METRES NAGE LIBRE

A. Aug. 7/78 **B.** K. A. C. **C.** 6   **WR.** 7:23.22   **CR.** 7:41.41   **GR.** 7:50.13

PLACE	NAME/NOM	COUNTRY/PAYS	
1	Morgan, Mark Lincoln McKeon, Ronald John Metzker, Maxwell Raymond Brewer, Graeme	Australia	7:34.83
2	Sawchuk, Bill Matthew Corcoran, Dennis Michael Balis, Robert David Szmidt, Peter Charles	Canada	7:36.58
3	Dunne, David Michael Hubble, Philip Smith, Martin Trevor Gray, Simon Francis	England	7:42.02
4	McClatchey, Alan Campbell, Douglas Fraser Marshall, Paul Julian Downie, Gordon Hunter	Scotland	7:46.89
5	Salisbury, Barry Ray Bullock, Ian R. Naylor, Brett Rowe, Paul, Colin	New Zealand	7:52.00

4 x 100 MEDLEY — 4 x 100 QUATRE NAGE

A. Aug. 9/78 **B.** K. A. C. **C.** 6   **WR.** 3:42.22   **CR.** 3:45.94   **GR.** 3:52.93

PLACE	NAME/NOM	COUNTRY/PAYS	
1	Tapp, Jay Greville Smith, Graham Thompson, Dan David Savchuk, Bill Matthew	Canada	3:49.76
2	Abraham, Gary Goodhew, Duncan Alexander Mills, John Maurice Smith, Martin Trevor	England	3:50.22
3	Patching, Glenn Scott Spencer, Lindsay Philip Morgan, Mark Lincoln Brewer, Graeme	Australia	3:53.16
4	Marshall, Paul Julian Oldershaw, Liam Anthony Iredale, Richard Norman Downie, Gordon Hunter	Scotland	3:59.67
5	Roberts, Michael Atkinson, Leigh Taylor, Mark Graham Sadler, Graham	Wales	4:02.14
6	Howard, Robert Anthony Corry, Ian Stanley Magowan, Simon Henry Meharg, Michael John	Northern Ireland	4:11.52

DIVING — MEN — PLONGEON — HOMMES

SPRINGBOARD — TREMPLIN

A. Aug. 6/78 **B.** K. A. C. **C.** 13

PLACE	NAME/NOM	COUNTRY/PAYS	
1	Snode, Christopher	England	643.83
2	Cranham, Scott Rogers	Canada	595.53
3	Wagstaff, Donald Douglas	Australia	572.16
4	Armstrong, Kenneth	Canada	534.36
5	Jackomos, Andrew	Australia	501.90
6	Foley, Stephen Neil	Australia	490.41

TOWER — TOUR

A. Aug. 8/78 **B.** K. A. C. **C.** 11

PLACE	NAME/NOM	COUNTRY/PAYS	
1	Snode, Christopher	England	538.98
2	Armstrong, Kenneth	Canada	534.99
3	Cranham, Scott Rogers	Canada	512.37
4	Snively, David	Canada	499.11
5	Jackomos, Andrew	Australia	498.09
6	Wagstaff, Donald Douglas	Australia	488.79

SWIMMING — WOMEN — NATATION — FEMME

100 METER FREESTYLE — 100 METRES NAGE LIBRE

A. Aug. 4/78 **B.** K. A. C. **C.** 20   **WR.** 55.65   **CR.** 57.17   **GR.** 58.19

PLACE	NAME/NOM	COUNTRY/PAYS	
1	Klimpel, Carol	Canada	57.78
2	Brown, Rosemary	Australia	58.30
3	Quirk, Wendy	Canada	58.44
4	Sloan, Sue	Canada	58.44
5	Brazendale, Cheryl	England	59.57
6	Turk, Heidi	England	59.58

200 METER FREESTYLE — 200 METRES NAGE LIBRE

A. Aug. 7/78 **B.** K. A. C. **C.** 16   **WR.** 1:59.04   **CR.** 2:01.93   **GR.** 2:03.86

PLACE	NAME/NOM	COUNTRY/PAYS	
1	Perrott, Rebecca Vivian M.	New Zealand	2:00.63
2	Wickham, Tracey Lee	Australia	2:01.50
3	Ford, Michelle Jan	Australia	2:01.64
4	Quirk, Wendy Patricia	Canada	2:04.08
5	Davies, Sharron	England	2:04.11
6	Garapick, Nancy Ellen	Canada	2:04.19

400 METER FREESTYLE — 400 METRES NAGE LIBRE

A. Aug. 9/78 **B.** K. A. C. **C.** 11   **WR.** 4:08.91   **CR.** 4:09.39   **GR.** 4:15.13

PLACE	NAME/NOM	COUNTRY/PAYS	
1	Wickham, Tracey Lee	Australia	4:08.45
2	Ford, Michelle Jan	Australia	4:10.25
3	Perrott, Rebecca Vivian M.	New Zealand	4:16.70
4	Brown, Rosemary Edith	Australia	4:18.06
5	Mason, Susan Marguereite	Canada	4:24.63
6	Shockey, Barbara Anna	Canada	4:25.51

800 METER FREESTYLE — 800 METRES NAGE LIBRE

A. Aug. 5/78 **B.** K. A. C. **C.** 9   **WR.** 8:30.53   **CR.** 8:30.53   **GR.** 8:31.58

PLACE	NAME/NOM	COUNTRY/PAYS	
1	Wickham, Tracey Lee	Australia	8:24.62
2	Ford, Michelle Jan	Australia	8:25.78
3	Perrott, Rebecca Vivian M.	New Zealand	8:44.87
4	Litzow, Joanne Lynn	Australia	8:47.42
5	Shockey, Barbara Anna	Canada	9:02.23
6	Parkes, Lorinda Marianne	Canada	9:04.82

100 METER BACKSTROKE — 100 METRES DOS

A. Aug. 7/78 **B.** K. A. C. **C.** 14   **WR.** 1:01.51   **CR.** 1:03.28   **GR.** 1:05.19

PLACE	NAME/NOM	COUNTRY/PAYS	
1	Forster, Debra Lynn	Australia	1:03.97
2	Boivin, Helene	Canada	1:04.54
3	Gibson, Cheryl Anne	Canada	1:04.68
4	Smith, Becky Gwendolyn	Canada	1:05.37
5	Gilyard, Helen Jane	England	1:05.98
6	Beasley, Joy Wendy	England	1:06.03

200 METER BACKSTROKE — 200 METRES DOS

A. Aug. 9/78 **B.** K. A. C. **C.** 13   **WR.** 2:12.47   **CR.** 2:15.60   **GR.** 2:17.65

PLACE	NAME/NOM	COUNTRY/PAYS	
1	Gibson, Cheryl Anne	Canada	2:16.57
2	Forrest, Lisa Marie	Australia	2:17.66
3	Robertson, Glenda Joy	Australia	2:18.32
4	Forster, Debra Lynn	Australia	2:18.41
5	Kwasny, Suzanne Marie	Canada	2:18.69
6	Boulianne, Jennifer	Canada	2:21.04

100 METER BREASTSTROKE — 100 METRES BRASSE

A. Aug. 9/78 **B.** K. A. C. **C.** 19   **WR.** 1:10.86   **CR.** 1:12.35   **GR.** 1:12.95

PLACE	NAME/NOM	COUNTRY/PAYS	
1	Corsiglia, Robin Marie	Canada	1:13.56
2	Kelly, Margaret Mary	England	1:13.69
3	Stuart, Marian	Canada	1:13.72
4	Curry, Lisa Gaye	Australia	1:13.85
5	Rudd, Debbie	England	1:14.69
6	Garay, Judy Susan	Canada	1:14.72

200 METER BREASTSTROKE — 200 METRE BRASSE

A. Aug. 5/78 **B.** K. A. C. **C.** 16   **WR.** 2:33.32   **CR.** 2:36.74   **GR.** 2:37.02

PLACE	NAME/NOM	COUNTRY/PAYS	
1	Borsholt, Lisa Ann	Canada	2:37.70
2	Rudd, Debbie	England	2:38.07
3	Kelly, Margaret Mary	England	2:38.63
4	Curry, Lisa Gaye	Australia	2:38.81
5	Hodson, Christine	Canada	2:40.36
6	Corsiglia, Robin Marie	Canada	2:44.54

100 METER BUTTERFLY — 100 METRES PAPILLON

A. Aug. 6/78 **B.** K. A. C. **C.** 16   **WR.** 59.46   **CR.** 1:01.54   **GR.** 1:03.22

PLACE	NAME/NOM	COUNTRY/PAYS	
1	Quirk, Wendy Patricia	Canada	1:01.92
2	McCarthy, Penny	New Zealand	1:02.27
3	Hanel, Linda Margaret	Australia	1:02.69
4	Sloan, Sue	Canada	1:03.02
5	Albright, Kelly	Canada	1:03.12
6	Jenner, Sue Pamela	England	1:03.31

200 METER BUTTERFLY		200 METRES PAPILLON	

A. Aug. 8/78   **B.** K. A. C.   **C.** 14   **WR.** 2:09.87   **CR.** 2:12.80   **GR.** 2:14.54

PLACE	NAME/NOM	COUNTRY/PAYS	
1	Ford, Michelle Jan	Australia	2:11.29
2	Quirk, Wendy Patricia	Canada	2:13.65
3	Hanel, Linda Margaret	Australia	2:14.52
4	Albright, Kelly	Canada	2:14.83
5	Gibson, Cheryl Anne	Canada	2:16.77
6	Jenner, Sue Pamela	England	2:16.78

200 METER MEDLEY		200 METRES QUATRE NAGES	

A. Aug. 5/78   **B.** K. A. C.   **C.** 13   **WR.** 2:15.85   **CR.** 2:17.82   **GR.** 2:17.82

PLACE	NAME/NOM	COUNTRY/PAYS	
1	Davies, Sharron	England	2:18.37
2	Perrott, Rebecca Vivian M.	New Zealand	2:18.70
3	Smith, Becky Gwendolyn	Canada	2:18.95
4	Curry, Lisa Gaye	Australia	2:20.59
5	Garapick, Nancy Ellen	Canada	2:21.46
6	Gibson, Cheryl Anne	Canada	2:22.40

400 METER MEDLEY		400 METRES QUATRE NAGE	

A. Aug. 9/78   **B.** K. A. C.   **C.** 8   **WR.** 4:42.77   **CR.** 4:48.10   **GR.** 5:01.35

PLACE	NAME/NOM	COUNTRY/PAYS	
1	Davies, Sharron	England	4:52.44
2	Smith, Becky Gwendolyn	Canada	4:57.83
3	Gibson, Cheryl Anne	Canada	4:59.39
4	Houston, Moira Jane	England	5:02.98
5	Pearson, Michelle Robyn	Australia	5:04.10
6	Hodson, Christine	Canada	5:05.49

4 x 100 METER FREESTYLE		4 x 100 METRES NAGE LIBRE	

A. Aug. 5/78   **B.** K. A. C.   **C.** 6   **WR.** 3:44.82   **CR.** 3:48.81   **GR.** 3:57.14

PLACE	NAME/NOM	COUNTRY/PAYS	
1	Amundrud, Gail Ann	Canada	
	Klimpel, Carol		
	Sloan, Sue		
	Quirk, Wendy Patricia		3:50.28
2	Lovatt, Kaye	England	
	Turk, Heidi Karen		
	Brazendale, Cheryl Elaine		
	Davies, Sharron		3:53.27
3	Brown, Rosemary Edith	Australia	
	Burnes, Lisa Gaye		
	Ford, Michelle Jan		
	Wickham, Tracey Lee		3:54.11
4	Motley, Lindsey Adriene	Wales	
	Bullock, Vanessa Jane		
	James, Mandy		
	Adams, Anne Wilma		4:02.28
5	McPhillamy, Denise	Scotland	
	Hendry, Margaret		
	Dickie, Sandra		
	Rose, Beverley		4:07.30
6	Hawcridge, Andrea Jane	New Zealand	
	McCarthy, Penny		
	Jones, Melanie Anne		
	Perrott, Rebecca Vivian M.		DISQ

4 x 100 METER MEDLEY		4 x 100 METRES QUATRE NAGE	

A. Aug. 8/78   **B.** K. A. C.   **C.** 6   **WR.** 4:07.95   **CR.** 4:15.22   **GR.** 4:24.77

PLACE	NAME/NOM	COUNTRY/PAYS	
1	Boivin, Helene	Canada	
	Stuart, Marian		
	Quirk, Wendy Patricia		
	Klimpel, Carol		4:15.26
2	Forster, Debra Lynn	Australia	
	Curry, Lisa Gaye		
	Wickham, Tracey Lee		
	Brown, Rosemary Edith		4:16.75
3	Gilyard, Helen Jane	England	
	Kelly, Margaret Mary		
	Jenner, Sue Pamela		
	Davies, Sharron		4:19.87
4	Rose, Beverley	Scotland	
	Campbell, Maureen		
	Dickie, Sanda		
	McPhillamy, Denise		4:30.15
5	James, Mandy	Wales	
	Adams, Anne Wilma		
	Bullock, Vanessa Jane		
	Motley, Lindsey Adriene		4:32.15
6	Parkes, Julie Elizabeth	Northern Ireland	
	Logan, Claire Louise		
	Law, Jane Katharine		
	Scott, Catherine Janet		4:43.99

DIVING — WOMEN		PLONGEON — FEMMES	

SPRINGBOARD		TREMPLIN	

A. Aug. 5/78   **B.** K. A. C.   **C.** 7

PLACE	NAME/NOM	COUNTRY/PAYS	
1	Nutter, Janet Ruth	Canada	477.33
2	Boys, Beverly	Canada	469.65
3	Kiefer, Emiko	Canada	447.42
4	Drake-Jankowska, Alison	England	397.17
5	McFarlane, Valerie Jane	Australia	384.30
6	Hotson, Fiona Joan	Scotland	354.03

TOWER		TOUR	

A. Aug. 7/78   **B.** K. A. C.   **C.** 6

PLACE	NAME/NOM	COUNTRY/PAYS	
1	Cuthbert, Linda Joanne	Canada	397.44
2	McFarlane, Valerie Jane	Australia	383.40
3	Nutter, Janet Ruth	Canada	374.67
4	MacKay, Elizabeth	Canada	372.42
5	Saunders, Marion	England	330.57
6	Hotson, Fiona Joan	Scotland	273.66

WRESTLING		LUTTE	

48 KG.		48 KG.	

A. Aug. 11/78   **B.** U. G.   **C.** 4

PLACE	NAME/NOM	COUNTRY/PAYS
1	Kumar, Ashok	India
2	Gunouski, George	Canada
3	Dunbar, Mark	England
4	Stephens, Christopher	Australia

52 KG.		52 KG.	

A. Aug. 11/78   **B.** U. G.   **C.** 3

PLACE	NAME/NOM	COUNTRY/PAYS
1	Takahashi, Ray	Canada
2	Kumar, Sudesh	India
3	Hoyt, Kenneth	Australia

57 KG.		57 KG.	

A. Aug. 11/78   **B.** U. G.   **C.** 6

PLACE	NAME/NOM	COUNTRY/PAYS
1	Singh, Satbir	India
2	Barry, Michael	Canada
3	Singh, Amrik Gill	England
4	Oldridge, Barry	New Zealand
5	Dzeladrin, Dzafer	Australia
5	McKay, Neil	Scotland

62 KG.		62 KG.	

A. Aug. 11/78   **B.** U. G.   **C.** 6

PLACE	NAME/NOM	COUNTRY/PAYS
1	Beiler, Egon	Canada
2	Singh, Jagminder	India
3	Aspen, Brian	England
4	Katting, Raymond	New Zealand
5	Burke, Thomas	Scotland
5	Barry, Ray	Australia

68 KG.		68 KG.	

A. Aug. 11/78   **B.** U. G.   **C.** 7

PLACE	NAME/NOM	COUNTRY/PAYS
1	Kelevitz, Zigmund	Australia
2	Gilligan, Joseph	England
3	Kumar, Jagdish	India
4	Llewellyn, Clive	Canada
4	Walker, Fitzlloyd	Jamaica
6	Reinsfield, Kenneth	New Zealand

74 KG.		74 KG.	

A. Aug. 11/78   **B.** U. G.   **C.** 5

PLACE	NAME/NOM	COUNTRY/PAYS
1	Singh, Rajinder	India
2	Zilberman, Victor	Canada
3	Haward, Keith	England
4	McLucas, Robert	Scotland
5	Robinson, Stephen	New Zealand

82 KG.   82 KG.

A. Aug. 11/78   **B.** U. G.   **C.** 6

PLACE	NAME/NOM	COUNTRY/PAYS
1	Deschatelets, Richard	Canada
2	Koenig, Walter	Australia
3	Shacklady, Anthony	England
4	Weir, Ivan	Northern Ireland
5	Lal, Panna	India
6	Hoffman, Robert	New Zealand

90 KG.   90 KG.

A. Aug. 11/78   **B.** U. G.   **C.** 5

PLACE	NAME/NOM	COUNTRY/PAYS
1	Danier, Stephen	Canada
2	Pikos, Mick	Australia
3	Singh, Kartar	India
4	Sargent, Nigel	New Zealand
4	Murray, Scott	Scotland

100 KG.   100 KG.

A. Aug. 11/78   **B.** U. G.   **C.** 5

PLACE	NAME/NOM	COUNTRY/PAYS
1	Wishart, Wyatt	Canada
2	Singh, Satpal	India
3	Avery, Murray	New Zealand
4	Peache, Keith	England
5	Armstrong, Walter	Australia

100+ KG.   100+ KG.

A. Aug. 11/78   **B.** U. G.   **C.** 3

PLACE	NAME/NOM	COUNTRY/PAYS
1	Gibbons, Robert	Canada
2	Patrick, Albert	Scotland
3	Singh, Ishwar	India

WEIGHTLIFTING   HALTEROPHILIE

52 KG.   52 KG.

A. Aug. 4/78   **B.** J. A.   **C.** 5   **WR.** 247.5   **CR.** 220.0   **GR.** 215.0

PLACE	NAME/(COUNTRY)/NOM /(PAYS)	SNATCH	CLEAN & JERK	TOTAL
1	Karunakaran, E. (India)	90.0	115.0	205.0
2	Revolta, Charles Cargill (Scotland)	90.0	107.5	197.5
3	Crabtree, Roger James (Australia)	80.0	110.0	190.0
4	Paul, Anil (India)	80.0	107.5	187.5
—	McNiven, John (Scotland)			0.0

ARRACHE EPAULE JETE

56 KG.   56 KG.

A. Aug. 4/78   **B.** J. A.   **C.** 6   **WR.** 252.5   **CR.** 240.0   **GR.** 222.5

PLACE	NAME/(COUNTRY)/NOM /(PAYS)	SNATCH	CLEAN & JERK	TOTAL
1	McKenzie, Precious P. (New Zealand)	97.5	122.5	220.0
2	Selvan, Tamil (India)	105.0	115.0	220.0
3	Bryce, Jeffrey (Wales)	95.0	120.0	215.0
4	Mondale, Anil (India)	90.0	122.5	212.5
5	Leong, Ah Wah (Malaysia)	85.0	112.5	97.5
—	Leung Wia, Pee (Western Samoa)	75.0		0.0

ARRACHE EPAULE JETE

60 KG.   60 KG.

A. Aug. 5/78   **B.** J. A.   **C.** 8   **WR.** 290.0   **CR.** 250.0   **GR.** 237.5

PLACE	NAME/(COUNTRY)/NOM /(PAYS)	SNATCH	CLEAN & JERK	TOTAL
1	Mercier, Michel Alex (Canada)	105.0	132.5	237.5
2	Katz, Ivan Eugene (Australia)	107.5	127.5	235.0
3	Schultz, Darrell Dwayne (Canada)	100.0	130.0	230.0
4	Craig, John Heron (Scotland)	92.5	120.0	212.5
5	Shepherd, Robert Michael (Wales)	92.5	112.5	205.0
6	Ping, P. (Mauritius)	87.5	110.0	197.5

ARRACHE EPAULE JETE

67.5 KG.   67.5 KG.

A. Aug. 5/78   **B.** J. A.   **C.** 12   **WR.** 315.0   **CR.** 295.0   **GR.** 260.0

PLACE	NAME/(COUNTRY)/NOM /(PAYS)	SNATCH	CLEAN & JERK	TOTAL
1	Stellios, Basilios (Bill) (Australia)	120.0	152.5	272.5
2	Kebbe, Adrian (Australia)	117.5	150.0	267.5
3	Sue, Phillip (New Zealand)	115.0	147.5	262.5
4	Kennedy, Robert William (Scotland)	110.0	142.5	252.5
5	Rogers, Eric Ross (Canada)	107.5	140.0	247.5
6	Bratty, Gary Ross (Canada)	110.0	137.5	247.5

ARRACHE EPAULE JETE

75 KG.   75 KG.

A. Aug. 6/78   **B.** J. A.   **C.** 9   **WR.** 347.5   **CR.** 305.0   **GR.** 275.0

PLACE	NAME/(COUNTRY)/NOM /(PAYS)	SNATCH	CLEAN & JERK	TOTAL
1	Castiglione, Salvatore (Australia)	130.0	170.0	300.0
2	Burrowes, Newton (England)	127.5	162.5	290.0
3	Pinsent, Stephen (England)	127.5	162.5	290.0
4	Niimura, Kaname (Canada)	122.5	157.5	280.0
5	Pollard, Cecil Somerset (Guyana)	105.0	150.0	255.0
6	Rush, John (Scotland)	105.0	135.0	240.0

ARRACHE EPAULE JETE

82.5 KG.   82.5 KG.

A. Aug. 6/78   **B.** J. A.   **C.** 9   **WR.** 375.0   **CR.** 335.0   **GR.** 302.5

PLACE	NAME/(COUNTRY)/NOM /(PAYS)	SNATCH	CLEAN & JERK	TOTAL
1	Kabbas, Robert (Australia)	142.5	180.0	322.5
2	Quagliata, Charles (Australia)	130.0	157.5	287.5
3	Shadbolt, Gary (England)	125.0	152.5	277.5
4	Ueselani, Vala (Western Samoa)	112.5	142.5	255.0
5	Bamford, Robert Bruce (Northern Ireland)	112.5	142.5	255.0
6	Wilson, Hugh (Turks & Caicos)	75.0	100.0	175.0

ARRACHE EPAULE JETE

90 KG.   90 KG.

A. Aug. 7/78   **B.** J. A.   **C.** 9   **WR.** 400.0   **CR.** 347.5   **GR.** 330.0

PLACE	NAME/(COUNTRY)/NOM /(PAYS)	SNATCH	CLEAN & JERK	TOTAL
1	Langford, Gary Leroy (England)	155.0	180.0	335.0
2	Hadlow, Terence Russell (Canada)	150.0	180.0	330.0
3	Marsden, Brian Michael (New Zealand)	137.5	175.0	312.5
4	Singh, Gian Cheema (England)	125.0	167.5	292.5
5	Brown, David (Wales)	127.5	165.0	292.5
6	Locking, Alan Wilson (Wales)	125.0	155.0	280.0

ARRACHE EPAULE JETE

100 KG.

100 KG.

A. Aug. 7/78 **B.** J. A. **C.** 4 **WR.** 392.5 **CR.** 347.5 **GR.** —

PLACE	NAME/(COUNTRY)/NOM/(PAYS)	SNATCH	CLEAN & JERK	TOTAL
1	Burns, John Robert (Wales)	155.0	185.0	340.0
2	Wyatt, Stephen John (Australia)	142.5	182.5	325.0
3	Santavy, Robert Cyril (Canada)	135.0	180.0	315.0
4	Laurie, Ian Geoffrey (Australia)	137.5	175.0	312.5
		ARRACHE	EPAULE JETE	

110+ KG.

110+ KG.

A. Aug. 8/78 **B.** J. A. **C.** 5 **WR.** 445.0 **CR.** 375.0 **GR.** 342.5

PLACE	NAME/(COUNTRY)/NOM/(PAYS)	SNATCH	CLEAN & JERK	TOTAL
1	Cardinal, Jean Marc (Canada)	160.0	205.0	365.0
2	Edmond, Robert (Australia)	150.0	172.5	322.5
3	Hynd, John Campbell (Scotland)	135.0	170.0	305.0
4	Brown, Michael James (Wales)	130.0	152.5	282.5
5	Masqe, Viliamu Petelo (Western Samoa)	127.5	155.0	282.5
		ARRACHE	EPAULE JETE	

110 KG.

110 KG.

A. Aug. 8/78 **B.** J. A. **C.** 5 **WR.** 417.0 **CR.** 370.0 **GR.** 352.5

PLACE	NAME/(COUNTRY)/NOM/(PAYS)	SNATCH	CLEAN & JERK	TOTAL
1	Prior, Russ (Canada)	150.0	197.5	347.5
2	Smith, Wayne Douglas (Canada)	147.5	190.0	337.5
3	Drzewiecki, Augie (England)	145.0	190.0	335.0
4	Barrett, John Rory (New Zealand)	150.0	182.5	332.5
5	Austin, Trevor (Jamaica)	130.0	150.0	280.0
		ARRACHE	EPAULE JETE	

100 KG.

A. Aug. 7/78 **B.** J. A. **C.** 4 **WR.** 392.5 **CR.** 347.5 **GR.** —

PLACE	NAME/(COUNTRY)/NOM/(PAYS)	SNATCH	CLEAN & JERK	TOTAL
	Burns, John Robert (Wales)	155.0	185.0	340.0

110+ KG.

A. Aug. 8/78 **B.** J. A. **C.** 5 **WR.** 445.0 **CR.** 375.0 **GR.** 342.5

| PLACE | NAME/(COUNTRY)/NOM/(PAYS) | SNATCH | CLEAN & JERK | TOTAL |

MARKETING

Directors:
Murray Tildesley
William F. Dowbiggin

Sales Managers:
Laurie Marshall (Calgary)
Wendy Coleman (Toronto)

Edmonton
Ron McCarville
Donna Allred
Dave Cawkell
Allan Gibson
Ann Conner
Bill Brooks
Mike Lloyd
Sandra Ecclestone
Denise Laker
Karen Lewington

Calgary
Karen Lucas
Esther Allman
John Kelly
Greg Forbes
Karen de Scrossa
Elaine Stackniak

Vancouver
Sue Loudon
Jan Nicholby

Toronto
Colleen Shields
Syd Cappe
Becky Jones
Greg Anderson
Linda Baer
Barb Johnston
Barb St. Arnaud

Montreal
Norm Heimlich
Tom Dowbiggin Sr.

Photo Credits:

Dennis Brodeur: 6, 3740, 46, 81, 83, 86, 102
Rob Davies: 28, 52, 29
Mike Evans: 1, 17, 47, 58, 61, 80, 95, 98, 101
Tony Feder: 5, 23, 45, 49, 51, 69, 75, 82
Barry Gray: 18, 19, 27, 32, 44, 50, 62, 68, 71, 72
Bob Gray: 25, 26, 34, 35, 43, 73, 76, 77, 84
Franz Maier: 3, 10, 97, 103
Dave Patterson: 2, 16, 22, 24, 36, 38, 39, 41, 42, 53, 85, 87, 88, 89, 90, 91, 92, 93, 94, 100

Walter Petrigo: 55, 57
Paul Taillefur: 9, 33, 60, 78, 79
Bob Warren: 20, 21, 30, 54, 64, 65, 66, 67, Cover
Brian Willer: 4, 31, 48, 56, 59, 63, 70, 74, 96, 99
Gov't. of Alberta: 7, 8
City of Edmonton Archives: 11, 12, 13
Pathe Film Library Ltd.: 15
G. Redmond: 14

Printing Inks
Sinclair and Valentine Co. of Canada Ltd.